강경아 구경자 권경민 김미희 박부전
신미숙 안현숙 윤지원 임광숙 전병식 황경하

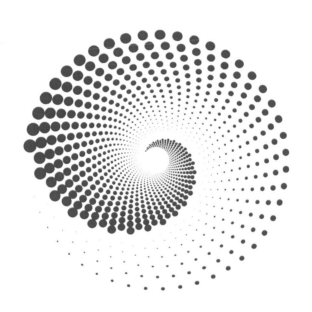

인문학 강사 11인의
通하는 성공 워크숍

인문학 강사 11인의
通하는 성공 워크숍

발 행 일	2024년 7월 1일
지 은 이	강경아 구경자 권경민 김미희 박부전 신미숙 안현숙 윤지원 임광숙 전병식 황경하
편 집	이영미
디 자 인	김영희
발 행 인	권경민
발 행 처	한국지식문화원

출판등록	제 2021-000105호 (2021년 05월 25일)
주 소	서울시 서초구 서운로13 중앙로얄빌딩 B126
대표전화	0507-1467-7884
홈페이지	www.kcbooks.org
이 메 일	admin@kcbooks.org
ISBN	979-11-7190-036-7

강경아 구경자 권경민 김미희 박부전
신미숙 안현숙 윤지원 임광숙 전병식 황경하

인문학 강사 11인의
通하는 성공 워크숍

한국지식문화원
BOOK PUBLISHING

발간사

다양한 강의 현장을 누비는 스타 인문학 강사들의 인문학 강의 이야기 「인문학 강사 11인의 通하는 성공 워크숍」이 출간되었습니다. 예전의 대학 교양 수업 강의실에서 듣던 고전적인 인문학이 아닙니다. 시대의 변화와 교육 패러다임의 변화에 맞게 진화한 실전 강의 현장에서 사랑받는 톡톡 튀고 흥미로운 인문학 강의 이야기를 소개합니다.

기업체, 공공기관, 대학교 인문 소양 강의에서조차 수강생들의 니즈를 반영한 다양한 소재로 인문학적 접근을 시도하고 있습니다. 인문학적 지식을 풍부하게 하는 것을 넘어, 발상의 전환, 조직의 소통, 융합을 꾀하는 다양한 앵글에서 인문 강의에 접근합니다.

11인의 명강사들의 오랜 강의 노하우가 녹아 있는 개성 넘치는 인문학 강의 이야기가 다양한 기관 교육 담당자들에게 인사이트를 줍니다. 한정된 시간의 교육으로 조직원의 변화를 끌어낼 강의 소재와 강사를 섭외하는 것은 교육 담당자의 중요한 역할입니다.

다양한 단체의 교육 섭외 담당자분들께 강사들의 다양성과 역량을 소개하며, 단순히 지식을 전달하는 것을 넘어, 우리에게 영감을 주고 새로운 관점을 제시할 것입니다.

이 책을 통해 여러분은 다양한 분야의 강사들 이야기를 만나볼 수 있을 것입니다. 우리는 그들의 이야기를 통해 조직원 개인과 조직의 성장과 발전에 도움을 얻을 수 있을 것입니다.

감사합니다.

권경민
발행인
한국지식문화원 대표

목차
index

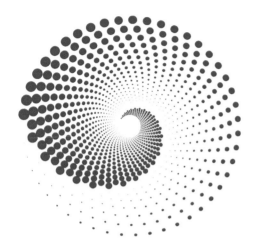

강경아

kka002486@naver.com

(사)1004클럽나눔공동체 교육국장
한국저널리스트대학교육원 정신건강학 교수
한국출판지도사협회 교육이사
KBS스포츠예술과학원 최고위강사
Jink 저널인뉴스 전문위원
W.M.U 메세나뉴스 사회국장
KCN뉴스 편집국장

001

생명존중교육은
행동하는 사랑입니다!

모든 생명은 존중받을 자격이 있습니다
-Albert Schweitzer-

생명존중의 의미와 가치

'생명'이란 무엇이며 생명이 지니는 본질적 가치는 무엇인가?

이러한 의문은 우리가 살아가는 과정에서 한 번씩은 고민해 봐야 할 내용입니다.

생명존중은 모든 생명에 대한 존중과 보호를 의미하며 인간뿐 아니라 동물, 식물, 자연환경 등 모든 생명체에 대한 존중과 배려를 표현하는 개념입니다.

이는 우리가 서로를 존중하고 배려하며 공존하는 사회를 구축하기 위해서 꼭 필요한 가치이기도 합니다.

인간의 존엄성, 윤리적 책임, 생태계의 균형 모든 것이 중요하지만 현재 우리나라가 겪고 있는 가장 큰 심각한 문제는 자살 문제입니다.

정신 건강 문제, 경제적 어려움, 학교폭력, 사회적 차별, 가정 내 폭력 등 현대의 경쟁사회 속에서 과도한 스트레스가 자살의 원인이 되고 있습니다.

다양한 요인들의 상황과 경험에 따라 달라질 수 있는 변수들을 예측하고 예방하는 것이 생명존중 교육을 하는 가장 큰 의미가 되는 것이 현실입니다.

제가 생명존중 교육에 관심을 갖게 된 것은 사랑하는 아들이 겪어야 했던 학교폭력의 피해로 삶을 놓아버리고 싶을 만큼 아팠던 순간이 있었기 때문입니다.

회복할 수 없는 정신장애를 입게 된 아들 앞에 엄마로서 무너질 수 없어서 그렇게 시작한 공부가 오늘 저를 있게 했습니다.

아들을 위한 시간이 저를 위하는 시간이 되었고 이젠 타인을 위해 생명사랑을 전하는 교육 강사가 되었습니다.

그 시간 속에서 제가 느낀 건 생명존중교육은 인간이 갖추어야 할 따뜻한 인성을 배울 수 있는 귀한 교육이라는 것입니다.

배려, 나눔, 봉사, 사랑, 존중, 평화, 감사, 정직, 행복, 겸손, 자유의 가치를 생명존중교육을 통해서 실천하기를 기원합니다.

자살예방교육의 방향성

1. 정신건강 인식 개선: 자살 예방의 첫걸음은 정신건강에 대한 사회적 인식을 개선하는 것입니다. 정신건강 문제를 겪고 있는 사람들이 스티그마 없이 도움을 요청할 수 있는 환경을 조성해야 합니다. 이를 위해 대중매체와 SNS를 통한 긍정적인 캠페인과 교육 프로그램이 필요합니다.

2. 접근성 높은 정신건강 서비스 제공: 전문적인 도움을 쉽게 받을 수 있도록 정신건강 서비스의 접근성을 높이는 것이 중요합니다. 이를 위해 정신건강 상담센터의 확대, 상담 비용 지원, 온라인 상담 서비스 등을 강화해야 합니다.

3. 조기 발견 및 개입 체계 구축: 위험군에 속하는 개인을 조기에 발견하고 적절한 지원을 제공하는 체계를 마련해야 합니다. 학교, 직장, 지역사회에서의 정기적인 정신건강 교육과 스크리닝을 통해 위험 신호를 조기에 포착하고 개입할 수 있어야 합니다.

4. 사회적 연결망 강화: 사회적 고립은 자살 위험을 높이는 주요 요인 중 하나입니다. 가족, 친구, 지역사회와의 긴밀한 관계를 통해 개인이 사회적 지지를 받을 수 있도록 하는 프로그램이 필요합니다.

5. 학교 및 직장 내 교육 강화: 학교와 직장 내에서 정신 건강 및 스트레스 관리에 대한 교육을 강화해야 합니다. 이를 통해 자살을 고려하는 개인이 도움을 요청할 수 있는 문화를 조성해야 합니다.

6. 자살 예방 정책의 지속적인 지원 및 연구: 자살 예방을 위한 정책은 지속적인 지원과 함께 실제 효과에 관한 연구가 병행되어야 합니다. 정책의 효과를 모니터링 하고, 필요시 조정하여 자살 예방 노력을 최적화해야 합니다.

7. 미디어 가이드라인 제정 및 준수: 미디어는 자살 보도 시 주의를 기울여야 합니다. 자살 방법, 동기 등 세부 사항을 보도하는 것을 피하고, 위기 상담 전화번호와 같은 도움을 받을 수 있는 정보를 제공해야 합니다.

1004생명존중전문강사 양성 과정

(사)1004클럽나눔공동체는 지난 2015년부터 생활이 어려운 여학생들을 대상으로 1004착한생리대 무료나눔프로젝트를 시작하면서 소외되고 위험에 노출된 여학생들을 직접 만나고 소통하였고, 어려움에 처한 청소년들에게 생명의 소중함과 자살예방을 위한 활동을 시작 하게 되었습니다.

현재는 (사)1004클럽 양승수 총재와 강경아 교육국장이 함께 〈1004생명존중교육전문강사〉 양성과 〈마약중독예방교육〉을 전 국민에게 확장하여 생명존중교육으로 사명을 다하고 있습니다.

(강의 커리큘럼 예시)

생명존중교육 지도자로서의 준비 과정 및 개관
자살의 이해
자살문제의 현황
약물남용(마약)과 자살
자살 고위험군 관리
자살과 매스미디어
자살과 정신질환
정신분석학적 관점에서의 자살
사회학적 관점에서의 자살
욕구이론 관점에서의 자살
자살에 대한 오해와 편견
자살예방을 위한 방안
생명존중 아동/청소년 교육
생명존중 중장년/노년기 교육
생명존중 군 장병 교육
생명존중 장애인 교육
자살예방 7단계(위기개입교육)
자살 유가족 교육
강의 키워드
생명존중/ 자살예방/ 회복탄력성/ 자존감/ 인성/ 희망/ 사랑/ 배려/
관심/ 봉사/ 나눔/ 감사

(추천 대상)

전 국민 대상

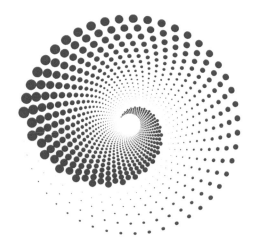

구경자

overkoo@hanmail.net

부모교육전문가, 심리상담사
작가, 출판지도사, 북큐레이터
청주지역사회교육협의회 부모리더십센터장
충북교육청 청소년 대안교육기관 대표
선우교육협동조합 대표
한국그림책코칭연구소장
한국작가협회 세종·충북지부장
KCEF 평생학습 타임즈 기자
저서
「치유가 필요한 그대에게」외 15권 작가

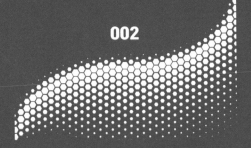

002

인생의 해답을 찾게 하는
소통 강의, 영화인문학!

우리 모두는 인생에서 만회할 기회라
할 수 있는 큰 변화를 경험한다
- 해리슨 포드 -

영화로 마음을 치유하는 인문학 강사

강의를 마친 후 참여자들에게서 종종 듣는 소감이 있다.

"강의를 듣는 시간 내내 너무 즐겁고 행복했습니다."
"영화로 힐링하고 위로받는 마음 치유의 시간이었네요."
"이런 양질의 강의를 다시 들을 수 있을까요? 저 혼자 듣기에는
너무 아깝네요."

이러한 소감을 들을 때마다 강사로서 큰 보람과 기쁨을 느낀다.
공감과 소통의 강의를 통해 오히려 나 자신도 더 큰 감동을 한다.
이처럼 참여자들이 느끼는 감정과 그들이 삶에 대해 다시금 생각해
볼 수 있도록 돕는 것이 내 강의의 큰 목적이다.

'교육의 질은 교사의 질을 넘지 못한다'라는 말이 있듯이, 항상 '강의의 질은 강사의 질을 넘지 못한다'라는 생각으로 강의를 준비하고 있다. 강사의 역할과 수준이 강의의 성공에 결정적인 영향을 미친다고 믿기 때문에, 항상 강의 분야에 맞는 전문적 지식을 갖추고 각각의 환경과 상황에 맞는 맞춤식 강의를 제공하려고 노력하고 있다. 최고의 성과를 기대할 수 있도록 준비한다.

진정성 있는 강의 내용이 참여자들의 삶에 동기부여가 될 때 강사로서의 자존감도 높아진다. 참여자들의 방관적 태도가 아닌 긍정적이고 적극적인 상호작용의 모습은 참으로 아름답다. 특히나 참여자들과 역동적인 상호작용이 이루어지는 영화인문학 강의에서는 세상을 바라보는 다양한 관점을 경험하고 자기 삶에 긍정적으로 적용할 수 있는 부분들을 발견할 수 있다.

영화를 통해 상처받은 영혼을 위로받고 자신을 응원하는 방법을 알 수 있다. 스스로 다독이는 힘이 있다는 것을 알고 자신을 사랑하는 마음도 발견할 수 있다. 자신이 살아온 시간이 결코 헛된 것이 아니라는 것을 확신하게 된다. 참여자들에게 큰 위로와 격려가 된다.

영화는 단순한 오락을 넘어 우리 마음의 창을 여는 중요한 매개체다. 스크린 속 다양한 이야기는 우리의 감정을 자극하고, 삶의 여러 측면을 깊이 이해하게 한다. 이 과정에서 우리는 자신의 감정과 마주하고, 이를 치유할 수 있는 힘을 얻게 된다.

영화는 다양한 감정을 담아낸다. 기쁨, 슬픔, 분노, 두려움 등 우리가 일상에서 느끼는 모든 감정은 영화 속 캐릭터들을 통해 고스란히 전달된다. 이러한 감정의 파노라마는 우리의 내면을 들여다보는 거울 역할을 한다. 특히, 우리가 공감하는 캐릭터의 감정을 따라가면서 우리는 자신의 감정을 더 명확히 이해하게 된다.

심리학적 연구에 따르면, 감정을 표현하고 인식하는 것은 치유의 첫걸음이다. 영화는 이러한 과정을 돕는 도구로서 탁월하다. 영화를 보면서 우리는 억눌렸던 감정을 자유롭게 표현할 수 있고, 이는 감정적인 해방감을 안겨준다. 더불어, 영화는 우리의 감정을 더욱 객관적으로 바라보게 하여 감정의 복잡한 매듭을 풀어가는 데 도움을 주기도 한다.

나는 영화의 힘을 통해 사람들의 마음을 치유하고, 인문학적 통찰이 가능하도록 돕는 것에 열정을 가지고 있는 전문가다. 기업체와 공공기관, 학교를 포함한 다양한 단체에서 청소년과 성인을 대상으로 강의를 진행하며, 많은 분과 깊이 있는 소통을 나누고 그들의 삶에 긍정적인 변화를 이끌어왔다.

인생의 해답을 찾게 하는 영화로 소통하며, 마음을 치유하는 영화 인문학 강사가 여기 있다.

영화로 만나는 매력적인 소통인문학

　영화인문학은 영화라는 매체를 통해 인문학적 주제를 탐구한다. 영화는 단순한 오락을 넘어, 인간의 삶과 사회를 반영하고, 다양한 감정과 사상을 표현하는 예술이다. 이를 통해 우리는 우리의 삶을 새로운 시각으로 바라볼 수 있다. 영화는 이야기를 통해 깊은 통찰을 제공하며, 이러한 통찰을 바탕으로 우리는 인문학적 질문을 던지고, 답을 찾아가는 과정을 경험한다.

　영화 인문학 강의의 핵심은 소통이다. 강사는 영화를 매개로 다양한 질문을 던지며, 참가자들과의 대화를 이끌어 간다. 이 과정에서 참가자들은 자신의 경험과 생각을 나누고, 타인의 관점을 이해하며, 새로운 시각을 얻는다. 이러한 소통을 통해 우리는 자기 자신을 더 깊이 이해하게 되고, 인생의 중요한 질문들에 대한 해답을 찾는 데 한 걸음 더 다가가게 된다.

단순히 지식을 전달하는 것을 넘어서, 참가자들이 스스로 인생의 해답을 찾아가는 여정을 돕고 있다. 영화인문학 강의는 우리에게 삶의 다양한 측면을 깊이 있게 탐구할 수 있게 하며, 이를 통해 우리는 자신의 삶을 더 잘 이해하고, 나아갈 방향을 설정할 수 있게 된다.

나는 강의를 통해 인생의 해답을 찾기 위한 소통의 장을 열어주고 있다. 영화와 인문학의 만남을 통해 우리는 우리 삶의 중요한 질문들에 대해 깊이 생각하고, 소통을 통해 새로운 관점을 얻는다. 우리에게 자기 발견의 기회를 주고, 삶의 의미를 더 깊이 이해하게 한다.

'인간은 왜 영화를 보는 걸까?' 매년 수많은 영화가 만들어지고 수많은 사람이 영화를 보고 즐긴다. 단순히 시간을 보내거나 엔터테인먼트를 즐기기 위해서만 영화를 관람하는 것은 아닐 것이다. 영화의 의미는 모든 영화에 '내'가 있기 때문이다. 이야기의 장면과 장면의 연결을 통해 영화를 만들어 내는 과정은 한 인간의 삶이 역사로 흘러가는 모습과 닮았다. 우리가 영화와 인문학을 연결할 수 있는 이유가 바로 여기에 있다.

영화 속에는 삶과 인간의 가장 극적인 순간이 담겨 있다. 인문학은 인간의 가장 집약적인 고민과 갈등을 풀어내려 애쓰고 있다는 점에서 영화와 인문학의 만남은 그 어떤 매개체보다 흥미롭고 효과적인 접근이라고 할 수 있다. 영화 인문학 강의는 많은 이들의 관심을 유도할 수 있고, 접근성도 매우 높은 영화들을 통해 우리의 삶 자체가 풍요롭고 가치 있게 될 수 있다는 확신을 가질 수 있도록 재미있고 의미 있게 풀어간다.

예를 들어 '자아와 정체성'이라는 주제를 다룰 때는 영화 〈블랙스완〉을 통해 완벽주의와 자기 발견, 그리고 자아의 두려움에 대해 의견을 나누곤 한다. 이 영화는 발레리나의 내면 갈등을 통해 자신의 정체성을 찾기 위한 여정을 그리고 있다. 참여자들은 이 강의를 통해 자기 내면을 탐구하고, 자신을 더욱 잘 이해하게 되었다.

　'사회와 인간'이라는 주제를 다룰 때는 영화 〈기생충〉을 통해 계급과 사회적 불평등, 그리고 인간의 본성에 관해 이야기한다. 이 영화는 현대 사회의 구조적 문제와 개인의 삶을 교차시키며 사회적 이슈에 대해 깊이 있게 생각해 볼 수 있게 한다. 참여자들은 이 강의를 통해 사회에 대한 새로운 시각을 갖게 되었다.

　나의 강의는 우리의 일상에서 접할 수 있는 영화 속에서 찾아낸 인문학을 쉽고 재미있게 풀어낸 강의다. 공감하고 비판했던 영화 속 장면들을 통해 사회에 얽혀 있는 이야기를 다양한 시선과 관점에서 바라볼 수 있도록 유연하게 풀어낸 강의다. 삶의 경험치와 연결하여 재미있게 영화 인문학으로 소통하다 보면 '나'의 객관적인 모습을 발견하기도 하고, 삶의 가치를 깨달아 가는 의미 있는 시간이 될 것이다.

　인문학이라는 큰 틀 안에서 영화를 본다는 것은 결국 '나 자신'을 찾아가는 과정이다. '나'에서 '너'를, '너'에서 '우리'를, 그리고 마침내 '세계'를 읽어내는 통찰력을 길러주는 소중한 경험이 되어줄 것이다.

영상 정보화 시대에 영상 리터러시를 통한 강의 효과나 강의 만족도는 매우 높다. 나를 위로하는 여행이 되고, 인문학적 성장을 느끼는 행복한 영화 인문학 강의로 초대한다.

영화 인문학 강의 커리큘럼 예시는 다음과 같다.

영화처럼 아름다운 인생

영화 속 인문학 산책

나를 찾아가는 영화 인문학

아물지 않는 상처는 없다

영화, 삶을 묻다

영화로 문화를 읽다

나를 나답게 살게 하는 영화 이야기

어쩌다 가족, 제대로 가족 되기

영화가 건네주는 위로와 격려

영화 인문학, 균형 잡힌 삶에 대한 단상

영화로 만나는 가짜 사랑 & 진짜 사랑

상상, 다른 방식으로 존재하는 현실

영화, 진실과 거짓 사이

영화로 떠나는 우리 역사 이야기

골라 보는 재미가 있는 영화 TOP10

청소년을 위한 영화 인문학

영화 같은 삶의 한순간, 영화 인문학

강사의 차이는 '콜(call)'이다

'계절마다 피는 꽃은 각각의 향기와 모습이 다르고 그 모든 꽃이 아름답다'라고 생각한다. 사람들을 만날 때마다 서로 다름이 인정되는 행복한 마음과 이유다. 나는 항상 강의 참여자 개개인의 독특한 경험과 관점을 존중하고, 그들의 다양한 배경을 강의에 반영하려고 노력한다. 그러다 보니 강의는 더욱 풍성해지고, 참여자들은 자신의 삶을 깊이 있게 탐구할 수 있게 되었다.

현재 나는 상담학과 교육학을 전공한 전문가로서 부모 교육, 감성 코칭, 대화법, 자존감, 리더십 분야도 강의하고 있다. 공공기관, 지자체 및 초·중·고·대학교에서 교육 또는 강의 경력은 20년이 되었다. 책이나 영화 등 감성 매개체를 활용한 인문학 강의를 통해 세상과 사람을 연결해 주는 역할을 하고 있다. 이러한 다양한 분야의 지식과 경험을 바탕으로 참여자들에게 더 깊이 있는 통찰의 시간을 선물하고 있다.

그중 영화 인문학는 다양한 영화와 인문학적 주제를 연결하여 구성한다. 예를 들어, '사랑과 관계'라는 주제를 다룰 때는 영화 〈이터널 선샤인〉을 통해 사랑의 기억과 상처, 그리고 회복에 관해 이야기한다. 이 영화는 기억을 지우는 기술을 통해 사랑의 본질과 관계의 중요성에 대해 깊이 생각할 수 있게 한다. 영화를 나누며 참여자들은 자신의 사랑과 관계에 대해 새로운 시각을 갖게 된다.

현대 사회에서 인문학의 중요성이 다시 주목받고 있다. 그 중심에는 '다시 찾는 인문학 강사'가 있다. 단순한 지식 전달자가 아닌, 삶의 깊이를 더해주는 안내자의 역할을 하고 있다. 인문학 강사의 가치와 역할을 재조명하는 것은 우리의 삶과 사회에 새로운 통찰을 가져다준다.

최근 몇 년 동안, 인문학에 관한 관심이 다시금 부활하고 있다. 과학과 기술의 발달로 인해 잃어버렸던 인간의 본질과 가치를 다시금 찾으려는 움직임이 강해졌다. 이 흐름 속에서 인문학 강사는 중요한 역할을 담당한다. 고전 문학, 철학, 역사 등을 통해 현대 사회에서 잊히기 쉬운 인간의 본질적인 질문을 던지고, 그 답을 찾아가는 과정을 돕고 있다.

인문학 강사는 사람들에게 정보와 지식을 전달하는 것을 넘어서, 삶의 방향을 제시하는 멘토의 역할을 하고 있다. 사람들이 자신을 돌아보고, 삶의 의미와 목적을 찾도록 돕는 것이다.

인문학적 탐구는 단순히 학문적인 활동이 아니라, 개인의 성장을 돕는 중요한 과정이다. 인문학 강사는 이 과정에서 학생들이 올바른 질문을 던지고, 스스로 답을 찾을 수 있도록 이끌어 주고 있다.

인문학 강사의 또 다른 중요한 역할은 소통과 공감을 통한 교육이다. 사람들과 깊이 있는 대화를 나누며, 서로의 생각과 감정을 이해하는 과정을 중요시한다. 이러한 소통은 단순한 지식 전달을 넘어서, 사람들이 자기 생각을 표현하고 타인의 관점을 이해하는 능력을 키워준다. 인문학 강사는 이 과정을 통해 사람들이 더 넓은 시야를 가지고 세상을 바라보게도 한다.

나는 영화 인문학 강의를 준비할 때 철저한 사전 연구와 준비를 통해 각 영화의 주제와 인문학적 연결점을 찾는다. 영화에 대한 깊이 있는 분석과 인문학적 접근을 통해 참여자들에게 풍부한 지식을 전달하고자 한다.

강의는 일방적인 지식 전달이 아니라, 참여자들과의 상호작용을 중요시해야 한다. 나는 강의 현장에서는 참여자들이 적극적으로 참여하고 자기 생각을 표현할 수 있는 환경을 만들어 주고 있다. 자신만의 독특한 시각과 경험을 공유하고, 다른 참여자들의 관점을 이해하도록 강의 환경을 만들고 있다.

강의 후에는 참여자들의 피드백을 바탕으로 강의 내용을 보완하고 발전시켜 가고 있다. 참여자들의 의견을 소중히 여기고, 그들의 요구와 기대에 부응하는 강의를 하기 위해 노력한다. 강의의 질을 지속적으로 향상하고, 참여자들이 더 나은 경험을 할 수 있도록 최선을 다하고 있다.

많은 사람의 행복한 삶에 징검다리가 되어주는 강사로 함께 하고 싶다. 강사는 강의를 통해 타인들에게 영향을 주는 사람이라고 생각하기에 교육 행위자로서의 사명감과 자신만의 철학, 가치관을 가지고 오늘도 최선을 다해 강의 준비를 하고 있다. 나의 강의는 단순한 지식 전달을 넘어, 참여자들의 삶에 긍정적인 변화를 끌어내는 소중한 시간이 될 것이다.

'다시 찾는 인문학 강사는 우리 사회에 없어서는 안 될 중요한 존재'라고 생각한다. 준비하는 강사, 강의 잘하는 강사, 계속 콜(call) 받는 강사가 여기 있다.

나는 인생의 해답을 찾게 하는 소통 강의를 하는 강사다.
영화를 통해 마음을 치유하는 매력적인 영화 인문학 강사다.

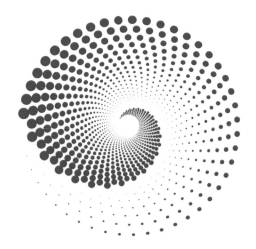

권경민

ceo@kcbooks.org

도서출판 한국지식문화원 대표
KCN뉴스 발행인
University of Utah 미국 교육학 석사
Cesar Ritz스위스, ICHM호주
국무총리실, 감사원, 행안부, 국토교통부 등
1천 회 이상 강의
SBS뉴스토리, SBS뉴스, MBC다큐프라임 등
방송출연 60회 이상
저서
「맥주 소담」외 17권 작가

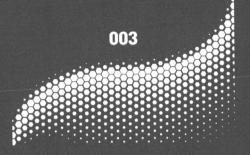

003

국무총리실에서 맥주 강의를?

다시 태어나도 지금하고 있는 일을 하겠다는 신념이 있다면,
그가 최선의 인생을 산 것이 아닐까 싶다
- 김형석 교수 -

나는 '맥주인문학' 강사다!

나의 대표 명함에는 '한국지식문화원' 대표로 기재되어 있다. 한국지식문화원은 도서출판을 주업무로 하는 지식문화기업이다. 그 외에 KCN뉴스 발행인, 한국출판지도사협회 회장, 한국비어소믈리에협회 고문, 대한민국주류대상 맥주부문 심사위원, 독일 되멘스 비어소믈리에, 한국작가협회 고문 명함도 가지고 있다. 「맥주 소담」 「맥주 한잔, 유럽 여행」 「여행작가 되는 법」 등 베스트셀러 3권을 포함하여 16권의 저서를 집필한 베스트셀러 작가이기도 하다.

하지만 누군가 나에게 본업이 뭐냐고 묻는다면, 정작 명함도 없는 '강연가'라고 주저하지 않고 답한다. 나는 강사다! 맥주로 관객석 청중의 가슴을 뜨겁게 달구는 맥주인문학 강사다.

그렇다고 내가 맥주를 전공했거나 인문학을 전공하지도 않았다. 미국 University of Utah에서 교육학 석사를 취득했으며, Cesar Ritz 스위스 호텔경영학, ICHM 호주 관광경영학 학위를 가지고 있다.

"강의는 무조건 재미있어야 한다! 강사는 강의를 통해 정보나 지식을 전달하는 것이 아니라, 새로운 의미를 찾아 움직일 수 있는 마음의 울림을 주는 사람이다."

나의 강의에 관한 신념이다. 누구나 하는 강의가 아니라 아무도 하지 않은 강의를 개척하고 도전해야 한다.

2014년 첫 맥주 책을 쓰고 '맥주 강의'라는 새로운 영역을 개척하기 위해 피나는 노력을 했다. 그 당시만 해도 맥주는 그저 '소맥'이나 '치맥'용으로 치부되었다. 그것으로 강의를 한다는 것은 상상도 못 하던 시절이었다. 맥주로 강의를 한다고 하면 모두 의아해했다.

단순한 맥주 양조나 시음 강의가 아니다. 맥주를 소재로 세계 인문학과 여행을 접목한 인문 소양 강의다. 맥주는 인류 역사상 가장 오래된 술이다. 인류가 있던 곳에 맥주가 있었다. 세계 역사 속 순간에 맥주가 함께 했다. 맥주로 풀어나갈 수 있는 인문학 이야기는 무궁무진하다. 그뿐만 아니라 매우 흥미롭다.

맥주는 세계에서 가장 많이 소비되는 술이다. 물과 차를 제외하고 가장 많이 마시는 음료다. 그만큼 많은 사람이 맥주를 좋아하고 관심이 있다. 인문학 요소와 맥주를 즐기는 노하우를 결합하여 더욱 흥미 있는 강의로 다듬었다. 시음이 가능한 경우는 다양한 수제맥주 시음을 겸하여 강의 참여도와 만족도를 높였다. 워크숍 행사에 최적화하며 다른 인문학 강의와 차별화에 성공했다.

아무도 시도하지 않고 모두가 의아해했던 '맥주인문학' 강의로 남들이 가지 않은 길을 개척했다. 무료 강의, 백화점 문화센터 강의부터 시작했다. 시작은 미약하였으나 나중은 창대한 길이 열렸다.

KAIST, 경희대, 중앙경찰학교, 금오공대, 인천대, 대구보건대 등에 외래교수로 인문학 강의를 진행하고 있다. 국무총리실, 감사원, 행안부, 국토교통부, 문체부, 공정거래위원회 등 무수한 정부 중앙부처에서 인문학 강의를 진행한다. 삼성경제연구소, 삼성물산, LG전자, 포스코, 롯데, 한화, 현대철강, SK바이오, 두산 등 대기업에서 1천 회가 넘는 인문학 강의를 진행하고 있다.

SBS뉴스토리, SBS뉴스프리즘, MBC 다큐프라임, YTN뉴스, jtbc뉴스, KBS아침, 올리브TV, ETN 쇼미더이슈, 글로벌CGTN, OBS 이것이 인생 등 방송에 맥주 관련하여 60회 이상 출연했다.

이쯤 되면 본업이 강연가라고 해도 전혀 어색하지 않다. 사실 소득의 가장 많은 부분이 사업소득보다 강연 소득이다.

나는 인문학 강사다. 대한민국에서 가장 보수적인 조직에서도 맥주로 강의하는 맥주인문학 강사다.

맥주로 떠나는 세계 인문학 여행

　지루하고 따분한 인문학 강의는 이제 그만! 세계 역사 속에 함께하는 맥주 이야기로 인문학 여행을 떠난다. 맥주에 대한 기본 지식과 맥주의 인문학적인 이야기를 풀어간다. 맥주에 숨겨진 재미있고 고급진 에피소드를 배우고, 맥주를 더욱 맛나게 즐길 수 있는 팁과 시음법, 맥주 테마로 떠나는 유럽여행 이야기까지! 선택 사항으로 다양한 스타일의 수제 맥주를 시음할 수 있는 참여형 수업이다.

　인문소양교육, 힐링, 스트레스 해소, 아이스브레이킹, 조직 단합의 목적으로 가장 완벽한 강의다. 워크샵, 승진자 행사, 창립기념 행사, 대학 최고위 과정, 학술 세미나 등에 인문교육으로 최적화된 색다르고 재미있는 강의다.

강의가 끝날 즈음이면 어느새 당신도 맥주 전문가! 술자리에서 나를 고급지게 하는 재미있는 맥주 이야기! 이제까지 '소맥'에 빼앗겨 버린 숨은 맥주의 오감을 일깨우고 새로운 맥주의 세계에 빠져들 수 있는 기회가 된다.

맥주인문학 강의 커리큘럼의 예시는 아래와 같다.

인류의 농경 생활을 부른 맥주

맥주가 없었다면 피라미드도 없다?

맥주순수령 어디까지 순수할까?

영국 제국주의 IPA 맥주

맥주 축제가 된 결혼식 옥토버페스트

세상을 바꾼 3대 맥주 발명

금주령이 만든 스타 마피아 '알 카포네'

히틀러, 맥주홀에서 쿠데타를 꿈꾸다

영국을 구한 전투기에 폭탄 대신 맥주

백악관에서 맥주를 양조한 대통령

국산 맥주가 대동강 맥주보다 맛없다?

맥주의 진실 혹은 거짓

잘 못 알고 있는 맥주에 대한 상식

전용잔에 숨겨진 과학

맛을 좌우하는 온도의 법칙

TPO에 맞는 맥주 선택

맥주와 요리의 궁합 페어링

맥주로 떠나는 동유럽 테마 여행

술자리를 빛 내줄 재미난 맥주 이야기

다양한 스타일별 수제맥주 시음 (선택)

흥미로운 참여형 강의를 통해서 조직 내 교류 시간이 적어 서로를 이해할 시간이 부족한 조직원들에게 업무 중 스트레스 감소 효과 및 팀원 간의 친밀도, 유대감을 향상할 수 있는 소중한 기회를 갖게 된다. 강의 참여자들은 긍정적인 자기 수용과 장점 강화, 스트레스 관리뿐만 아니라 폭넓은 맥주 상식을 배울 수 있다.

강의가 끝나고 강의장 맨 앞의 VIP가 준엄한 표정으로 강의장을 떠나는 강의, 활짝 웃으며 강사에게 다가가 고개 숙여 인사하고 명함을 건네는 강의! 교육 섭외 담당자들은 어떤 강의를 원할까?

1회 한 시간 내외 강의에서 얼마나 많은 정보와 지식을 전달할 수 있을까? 얼마나 효율적으로 참여자들에게 전달할 수 있을까? 짧은 시간에 전달할 수 있는 지식은 한계가 있다. 하지만 강의를 통한 감동의 전달은 참여자들을 변화시킨다. 변화된 조직원들은 조직을 변화시킨다.

강의는 지식 전달이 목적이 아니라 벽을 허물고 유대감을 형성하는 것이다. 관심 주제로 마음을 열고 힐링, 소통의 시간을 갖는 것이다.

참여자와 강사가 하나 되어 한껏 즐기며 업무의 스트레스를 해소하고
조직원 간의 단합을 도모한다.

나는 강사로 살기로 했다

강의를 통해서 고정관념을 깨고 기존의 틀을 탈피하는 사고의 전환이 인문 소양 강의의 목적이며 본질이다.

고전적인 인문학의 틀을 벗어난 색다른 인문학 시도로 성인 누구나 좋아하는 소재를 인문학적 감성으로 풀어나간다. 선택 사항으로 다양한 스타일 수제맥주를 시음할 수 있다. 시음을 겸한 체험형 강의는 강의 참여도와 집중도를 월등히 높여주며, 조별 시음을 통해 구성원 간에 자연스러운 유대감이 형성되고 벽이 허물어진다.

강의는 강의 만족도 설문이 말해준다. 현장의 뜨거운 반응, 강의 만족도 설문, 그리고 VIP 참여자의 반응에서 강의 성과가 결정된다.

강의는 책 몇 권의 지식에서 나올 수 없다. 강사가 살아온 삶의 가치가 녹아야 청중을 움직이는 생생한 감동이 전달된다.

변화를 이뤄낼 시간 60분! 권경민 강사와 같이하는 참여자들이 함께하게 될 것은 단순한 컨텐츠가 아니다. 지식의 미래에 공감하고 오랜 세월 삶에서 배운 소중한 경험이 녹아 있기 때문이다. 세상에 필요한 삶의 자취가 세상을 바꾸는 이야기가 되는 곳에 권경민 맥주인문학 강사가 함께한다.

이제는 한 걸음 더 나아가 세상을 바꾸는 작지만 위대한 움직임에 동참하는 후진을 양성한다. 한국지식문화원은 도서출판뿐 아니라, 교육컨설팅, 강사 인큐베이팅, 콘텐츠 전자상거래, 인터넷 언론사 업무를 하는 지식문화 기업이다. 한국지식문화원은 단순히 책을 출판하는 회사가 아니다. 저자의 꿈을 이루어 주고, 함께하는 이들의 삶에 가치를 부여하는 것이 주업무다.

일반 대중과 소통 가능한 문화적 지식을 책으로 펴내고 공감할 수 있는 기회를 만들어 간다. 사회적, 문화적 가치를 가진 콘텐츠를 보유한 누구에게나 소중한 출판의 기회가 열려 있다. 출판과 강연을 통해 자신의 소중한 경험과 지식으로 타인의 삶을 바꾸는 보람된 움직임에 한국지식문화원이 함께한다. 강사는 그곳에서 더 빛난다.

맥주인문학 강사로 활동하고 있는 지금, 내 인생 그 어느 때보다 행복하다.

"오늘도, 내일도 나는 강사로 살기로 했다."

김미희

hhone0301@naver.com

브레인자가치유센터 대표
KBS스포츠예술과학원 최고위강사
한국출판지도사협회 부회장, 한국지식문화원 대표 강사
위아평생교육원 전문교수, 인공지능융합학회 이사
코리안투데이 인천남부지부장, 아로마테라피 전문강사
KBS 실버융합교육 전문가, 웰다잉지도사
통합치매예방지도사 부모교육 전문가, KAC 코치
여행작가, 전) 초등학교장
「초등 엄마 수업」외 9권 작가

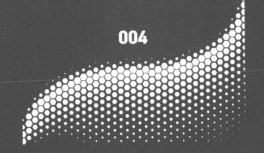

004

건강한 나를 찾아 떠나는
'셀프 힐링 인문학'

배움은 평생 지속되는 과정이다.
건강한 정신과 신체는 배움을 통해 더욱 성장한다.
- 존 듀이 (John Dewey) -

나는 '셀프 힐링 인문학' 강사다!

　나는 '셀프 힐링 인문학' 강사다. 37년간 초등학교에서 교육자로 살다가 명퇴한 교장이다. 그동안 학생들을 교육하며 몸과 마음의 건강이 무엇보다 중요함을 느꼈다. 그래서 퇴직 후 '브레인 자가치유센터'를 설립했다. 그 외에 한국출판지도사협회 부회장, 베스트셀러인 「초등 엄마 수업」을 포함하여 9권의 저서를 집필한 베스트셀러 작가, 한국지식문화원 대표 강사, 출판지도사, 브레인 트레이너, 실버융합교육 전문가, 통합치매예방 강사, 그림책 심리지도사, 아로마 테라피스트, CPA 테라피스트, KAC 코치, 천연비누 강사, 천연화장품 강사, 발효테라피 전문강사, 독서지도사, 진로적성지도사, IMPTI상담사, 노인교육 전문가, 웰다잉지도사, 노인돌봄생활지도사, 실버체조지도사, 표현예술지도사, 코리안투데이 지부장이다.

사람들이 묻는다. 무엇 때문에 그렇게 힘들게 올라간 교장을 내려놓고 명퇴했냐고. 나는 초등학교 때 갑자기 일어설 수 없는 이름 모를 병에 걸려 죽을 고비도 넘기고, 학습부진아에 왕따도 당하며 살았던 작은 아이였다. 그 아이가 귀한 만남을 통해 생명을 찾고, 자존감을 찾고, 초등학교 교사도 되었다. 아이들에게 좀 더 좋은 교육을 하기 위해 늘 공부했다. 독서지도사, 진로상담 지도사, 종이접기 지도사, 국가 공인 브레인트레이너 등 많은 자격증을 따서 아이들과 행복하게 지냈다.

아이들 교육에 열정을 쏟아 모범공무원도 되고, 교육청 대표 '수업선도교사'도 했다. 장학사도, 연구사도, 교사의 꽃이라는 교장도 했다. 아이들이 행복한 학교를 만들기 위해 부단히 노력했다. 교장으로서 아이들을 위해 하고 싶었던 일들을 전 교직원과 함께 행복하게 다 이루었다. 학교 교장으로 소망했던 모든 일을 이루었기에 더 이상 소원이 없었다.

만남을 통하여 제2의 인생을 살았기에 이제 그 빚을 갚으려 한다. 더 넓은 세상에서 온라인과 오프라인으로, 더 많은 사람과 다양한 방법으로 소통하며 살고자 명예퇴직을 선택했다. 많은 부모와 아이들에 관해 고민을 나누며 살았다. 남은 삶은 선한 영향력을 끼치며 살고자 「초등 엄마 수업」을 출간했다. 인생은 누구를 만나느냐에 따라 달라진다. 강의나 책과의 만남도 마찬가지다. 짧은 시간의 만남이지만 그 만남으로 인해 인생이 달라진다면 얼마나 의미 있는 일일까?

내가 '셀프 힐링 인문학'에 관심을 가진 것은 결코 우연이 아니다. 어려서부터 약한 몸으로 살았기에, 건강염려증에 빠져 많은 보험료만 내고 살았다. 그러다 친정엄마가 18개의 약으로도 통증을 달고 사는 엄마를 보고 충격을 받았다. 아무리 병원에 다녀도 해결되지 않았다. 하루 18개의 약만 먹어도 배부르다는 엄마를 살리기 위해 방법을 찾으러 다녔다. 엄마를 위해 찾아 나선 길에 자가 치유 방법을 만나 전문가 과정을 배웠다. 그 방법으로 엄마의 18개의 약을 다 끊게 해드렸다. 기운 없이 살던 나도 일으켜 세우고, 새로운 인생을 살았다. 위기는 기회고, 시련은 변형된 축복이라는 사실을 몸으로 경험했다.

지금의 모습은 지금까지 내가 살아온 결과물이다. 건강도 마찬가지다. 많은 사람이 자기 몸과 마음의 균형이 깨어지는 것도 모르고 바쁘게 살아간다.

"내 몸을 내가 스스로 치유하는 것이 가능하다고요?"

그 물음에 나는 자신 있게 말한다.

"네, 가능합니다."

강의는 무조건 삶에 도움이 되어야 한다! 강사는 지식을 전달하는 것이 아니라, 삶의 질을 높이는 실천적인 강의를 해야 한다. 이해만 하는 강의가 아니라 삶에 적용되어, 삶의 질을 높여야 하는 강의여야 한다. 그래서 셀프 힐링으로 존엄한 삶을 살게 하는 '셀프 힐링 인문학' 강의를 하는 것이다.

몸과 마음의 균형을 찾아 떠나는 '셀프 힐링 인문학' 여행

 적당히 시간만 채우는 강의는 인제 그만! 인문학은 삶 그 자체다. 이제 나의 몸과 마음의 균형을 찾아 건강하게 만드는 '셀프 힐링 인문학' 여행을 떠나보자.

 현대를 살아가는 사람들의 최대 관심사는 웰 에이징, 그리고 웰 다잉이다. 특히 120세 시대를 바라보는 현대인들에게 무엇보다 중요한 관심사다. 내가 건강해야 세상도 있다. 건강은 건강할 때 지켜야 한다. 그래서 사람들은 신체적, 정신적 건강을 유지하기 위해 많이 노력한다. 운동, 영양, 명상 등 건강을 위한 다양한 방법이 주목받고 있다.

건강한 생활 습관을 형성하고 유지하는 것이 삶의 질을 높이는 데 무엇보다 중요하다. 앞으로 살아온 날보다 더 많은 날을 살아야 하기 때문이다. 그래서 자기의 건강을 자기 스스로 챙겨야 한다. 노후에 풍요롭고 평안한 삶을 살아야 한다. 존엄한 삶을 살아야 한다. 그런데 지금 우리는 누구에게 내 몸을 맡기려고 하고 있는가? 그동안 평생 최선을 다해 번 돈을 어디에 쓰고 있는가?

'셀프 힐링 인문학'은 통증에 대한 기본 지식과 셀프 힐링 이야기를 풀어간다. 내 몸과 마음의 통증 원인을 찾아 그 자리에서 스스로 해결하는 방법을 배운다. 강의를 듣는 동안 자기의 몸과 마음을 스스로 돌아보게 한다. 또한 나이에 상관없이 앞으로 건강하게 살 수 있겠다는 자신을 갖게 한다. 쓸데없는 건강염려증에서 벗어나게 한다. 선택 사항으로 마음을 돌아보며 감정의 아로마 오일 또는 천연비누 만들기 등으로 힐링하게 하는 참여형 수업도 가능하다.

그동안 초중고 부모 교육, 교육 전문직 교육, 교사 교육, 행정직 교육, 자가 치유 교육, 은퇴자 교육 등 1천 회 이상의 강의를 했다. '셀프 힐링 인문학'은 건강한 몸과 마음, 힐링, 스트레스 해소, 동기부여, 자기 계발로 적합한 강의다. 워크숍, 인생 설계, 부모 교육, 대학 최고위 과정 인문교육, 퇴직자 교육 등에 최적화된 색다르고 흥미 있는 강의. 강의 섭외한 담당자들이 늘 본인을 위한 강의였다고 말한다.

강의가 끝날 즈음이면 어느새 몸과 마음의 통증을 스스로 다스릴 수 있다는 자신감을 느끼게 된다. 한 번 들으면 다음에 또 찾는 강의! 강의 섭외자가 앞자리에 앉아 듣고 싶어 하는 강의!

'셀프 힐링 인문학' 강의 커리큘럼의 예시는 아래와 같다.

건강한 삶을 위한, 마음 챙김과 즐거운 건강 실천법

우아한 생을 보내기 위한 건강 라이프 스타일

정형외과의사도 모르는 통증 해결 방법

자연스러운 노화, 자신감 있는 삶

준비된 행복한 마무리, 웰 다잉

액티브시니어의 웰 에이징

액티브시니어 영화 인문학

감정의 아로마 오일

행복한 부모 되기

싱싱한 뇌 만들기

아름다운 마무리

내 건강은 내가!

일과 삶의 균형

치매 걱정 뚝!

몸과 마음의 균형을 찾아가는 100분! 본인의 몸과 마음의 균형을 스스로 잡아가도록 도와주어, 건강한 삶을 살 수 있도록 함께 할 것이다.

나는 행복한 '셀프 힐링 인문학' 강사로
살기로 했다

나는 단순한 정보 전달이 아닌, 청중의 삶을 변화시키는 것이 목표다. 건강한 삶을 위한 인문학적 접근은 신체 건강뿐만 아니라 정신적, 정서적 건강을 포함한다. 강의를 통해 청중이 자신의 삶을 돌아보고, 좀 더 건강한 삶을 선택하고 실천하도록 돕고자 한다. 그래서 남은 인생은 '셀프 힐링 인문학' 강사로 살 것이다.

건강한 삶을 위한 마음 챙김과 즐거운 '셀프 힐링 인문학' 강의는 단순히 정보를 전달하는 것을 넘어, 그들의 삶을 바꾸는 계기를 제공한다. 신체와 정신의 균형을 맞추기 위한 인문학적 접근을 통해 자신의 건강을 새로운 시각에서 바라볼 수 있게 한다. 이 작은 변화가 어떤 결과를 갖게 할지 기대 이상일 것이다.

현대 사회에서 직면하는 다양한 건강 문제와 그 해결책을 탐구한다. 스트레스, 비만, 불면증 등 현대인들이 겪는 문제들을 구체적으로 다루고 해결책을 제시한다. 일상생활에서 실천할 수 있는 건강한 생활 습관을 제안한다. 작은 변화가 큰 건강 변화를 가져올 수 있음을 강조하며, 실천 가능한 방법들을 소개한다. 누구나 쉽게 따라 할 수 있는 것이다.

강의는 청중들에게는 거인의 어깨 위에 올라서는 시간이다. 비록 짧은 시간이지만 구성원들이 서로 마음을 열고 소통하며, 온전히 자신이 주인공이 되는 시간으로 만들어야 한다. 강사와 청중이 함께 만들어 가는 시간이어야 한다. 서로의 아픔을 이해하는 시간이어야 한다. 그동안 받은 스트레스로 인해 깨어진 균형을 찾아 다시 균형 잡힌 모습을 찾도록 서로 응원하다 보면 어떤 일들이 벌어질까?

정신건강이 향상된다.
서로 이해하고 지지하면 불안과 우울증이 줄어들 것이다. 같은 어려움을 겪는다는 사실이 소속감을 느끼게 하고 외로움을 덜어줄 것이다.

회복력이 강해진다.
균형을 되찾기 위해 함께 노력하면 회복력이 강해진다. 서로에게서 대처 방법을 배우게 되어, 미래의 스트레스에도 더 잘 대처할 수 있다.

관계가 강화된다.

지지하는 환경에서 공감과 이해가 생기면 관계가 강화된다. 신뢰와 협력의 네트워크가 형성되어 사회적 연결이 더욱 강화된다.

생산성이 향상한다.

균형 잡힌 정신 상태는 기억력, 집중력, 문제 해결 능력을 향상시킨다. 이는 개인과 직장에서의 생산성과 효율성을 높인다.

감정이 안정된다.

지속적인 지원은 감정 조절을 도와 감정적 안정을 가져온다. 스트레스에 대한 감정 반응을 더 잘 관리할 수 있게 된다.

전반적인 웰빙이 향상된다.

균형을 이루면 전반적인 웰빙이 향상된다. 스트레스 수준이 낮아져 고혈압이나 심혈관 질환 같은 스트레스 관련 질병의 위험도 줄어든다.

결국 '셀프 힐링 인문학' 강의를 통해 서로를 지지하는 환경을 만들면 정신건강, 회복력, 관계, 생산성, 감정 안정, 전반적인 웰빙을 모두 향상할 수 있다.

'셀프 힐링 인문학' 강사로서 나는 청중의 삶에 긍정적인 변화를 갖게 한다. 건강과 인문학을 융합한 나의 강의는 단순한 정보 전달을 넘어, 청중의 마음과 삶을 움직이는 힘을 가지고 있다.

나의 강의가 청중의 삶에 긍정적인 변화를 가져오리라 확신한다. 앞으로도 나는 '셀프 힐링 인문학'을 더 많은 사람과 공유하여 더 나은 삶을 살 수 있도록 도울 것이다.

나는 행복한 '셀프 힐링 인문학' 강사다.

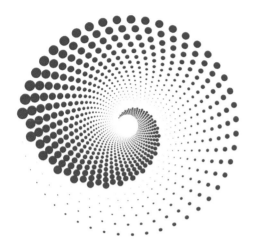

박부전

elisepj@hanmail.net
인하대학교 국어교육과 박사과정
박선생 국어전문 원장
경기과학기술대학교 강사
한국출판지도사협회 부회장
한국지식문화원 대표 강사
국립국어원 외래 강사
인천 시청 찾아가는 국어문화 학교 강사
올바른 병영 언어 강사, 공문서 바로쓰기 강사
인천 국어문화원 연구원
인천 청소년 우리말 지킴이 강사, 소설쓰기 강사

005

마음을 어루만지는 쓰기 교육

첫 줄을 쓰는 것은 어마어마한 공포이자 마술이며,
기도인 동시에 수줍음이다.
-존 스타인백

나는 한국어를 사랑하는 글쓰기 강사다

30여 년 넘게 중, 고등 국어를 가르쳐 왔다. 그리고 내 삶의 지평을 넓히기 위해 국어 교육학 석사를 마치고, 박사과정 중이다. 국립국어원과 국어문화원에서 연구원으로도 활동하고 있다. 그동안 국어를 가르치는 것 외에 많은 일을 해왔다. 국립국어원 강사로 서울 소재 지역 정보개발원 등, 공공기관의 공문서 바로 쓰기 강의, 군부대 장병들을 위한 언어 예절 교육 강의 등을 했다. 또한, 국어문화원 연합회 주최 학술용어 정비사업을 맡아 어려운 학술용어를 일반 국민들도 알 수 있는 쉬운 용어로 바꾸는 사업을 진행하였다. 그리고 청소년 우리말 지킴이 책임 연구원으로 인천 관내 청소년들을 위한 강의와 찾아가는 문화학교 연구원으로 도서관, 학교 등에서 소통과 배려의 말하기, 쉽고 바른 공공언어 쓰기 등을 강의하였다.

많은 타이틀 중 앞으로 불리고 싶은 이름은 마음을 어루만지는 '책 쓰기 강사'다. 시도 소설도 자서전이라도 좋다. 달빛 들어오는 창가에서 공연히 감성에 젖어 끄적거린 메모 한 장도 좋다. 글이란 단순히 문자로 이루어진 문장들의 모임이 아니다. 각각의 글자와 문장이 모여 독자의 마음을 움직이는 힘을 가진다. 이 보이지 않는 힘은 책 읽는 이의 생각을 바꾸고, 행동을 바꾼다. 또한 글쓰기는 새로운 세상과 만나는 출입구이기도 하다.

2023년 경기도 소재 국제 학교에서 소설 쓰기 특강을 하였다. 의사소통이 원활하지 않은 다국적의 친구들과 일반 학교에서 적응하지 못해 온 한국 친구들이 섞여 있었다. 모두 마음의 빗장을 굳게 닫은 채, 외부에서 온 나를 경계했다. 하지만, 시간이 더해 갈수록 다양한 이야기를 쏟아 내었다. 그리고 자신의 이야기를 소설의 허구 속에 슬쩍슬쩍 끼워 넣기 시작했다. 그동안 말하지 못했던 자신의 이야기를 토해 내며, 그에 따라 그들의 얼어붙었던 마음도 차츰 말랑말랑해지기 시작했다. 16차시 수업이 끝나고, 자신의 글이 실린 책을 받아 든 아이들은 가벼운 흥분으로 양 볼이 복숭아 빛으로 물들었다. 마음 치유의 순간이다.

어릴 때, 한 번쯤 우리는 문학소녀였고, 문학 소년이었다. 뜻 모를 시집 한 권 가슴에 품고는 흔들리는 버스 안에서 가슴 설레본 경험이 있지 않은가. 세월에 깎이고 부딪히면서 그동안 잊고 있었던 이 설렘 한 조각을 꺼내 보자. 상처받은 마음에 반창고가 되고, 설움을 마음껏 풀 수 있는 나만의 대나무 숲이 되어 줄 것이다.

나이가 들수록 내 말을 들어 줄 사람이 적어지고, 품속의 말을 꺼내기 두렵다는 것을 우리는 안다. 하지만 '임금님 귀는 당나귀'라는 말을 토해 내지 못해 병든 이발사가 되어서는 안 된다. 박부전 강사가 여러분만의 이야기를 풀어낼 수 있도록 여러분의 든든한 멘토가 되어 줄 것이다.

　학부에서 국어국문학을 전공하고 30여 년 경력의 국어, 논술 강사 말만 들어도 든든하지 않은가. 게다가 공공기관, 도서관, 경기과학기술대학교, 군부대까지 섭렵한 강의력은 여러분의 풍부한 상상력을 깨우고, 실타래처럼 가득 찬 생각의 꼬투리를 시원스럽게 풀어 내어 나만의 책, 나만의 이야기를 서점에서 발견하는 즐거움을 느낄 수 있도록 해줄 것이다.

　글쓰기는 나를 알아가는 여정이기도 하다. 나의 감정을 건드리고, 경험을 풀어내고 사색하면서 내가 원하는 삶을 모색하고, 내가 어떤 사람인지 알아가는 과정인 것이다.

　어떤 이야기라도 좋다. 여러분의 비오는 날 감성은 한 편의 시가 될 것이고, 여러분의 경험은 소설, 수필이 될 것이며, 여행의 기록은 나만의 여행기가 될 것이다. 가슴 한 켠에 조용히 비껴 둔 여러분의 이야기가 책이 되어 나오는 그날까지 한국어를 사랑하는 책쓰기 강사 나 '박부전'이 함께한다.

나만의 책 쓰기 어렵지 않아요.

한 번쯤, 나만의 책, 나의 인생 이야기를 담은 책을 쓰고 싶다는 열망을 가져본 적은 없는가? 또는 직업적으로 보고서를 쓰고, 기획안을 써야 할 때, 말로는 잘할 자신이 있는데 글로 풀어내려면 한 문장도 써 내려가기 힘들었던 때는?

글쓰기 수업은 자칫하면 지루하고 힘든 과정이 될 수 있다. 하지만 글은 말과 비교할 수 없을 만큼 큰 힘이 있다. 인류가 동물과 달리 끊임없이 발전하고, 진화할 수 있었던 것도 말의 힘이 아니라 글의 힘이었다.

10주간의 쓰기 놀이가 끝나고 나면 당신의 이야기가 한 권의 책이 되어 교보문고에 Yes 24의 서가에 꽂혀 독자를 맞이하게 될 것이다. 또한, 독서 콘서트의 주인공이 되어 지인들의 환호 속에 자랑스러운 저자가 되어 있을 것이다.

글쓰기 수업의 한 꼭지 '소설 쓰기' 커리큘럼은 다음과 같다.

1. 창작 동기 발견하기
내가 좋아하는 소설
소설을 읽는 이유
소설가가 소설을 쓰는 이유

2. 상상 놀이
이 집은 어디에 있는 집인가요?
이 집에는 누가 살고 있나요?
누구와 함께 살고 있나요?
왜 이곳에 살게 되었나요?
그 존재는 어떻게 살아가고 있나요?
그 존재는 무슨 생각을 하며 살고 있나요?

3. 결말 앞에 두세 개의 문장 추가하여 이야기 만들기

4. 왜? 왜? 왜?
나는 지금 배가 고프다. 왜?
오늘 하루 종일 아무것도 안 먹었거든. 왜?
밥 먹을 시간도 없을 만큼 바빴거든. 왜?

5. 내가 좋아하는 노래에서 이야기 찾기

6. 픽사 피치로 이야기 구성하기
〈어린 왕자〉의 픽사 피치
픽사 피치로 나만의 이야기 구성하기
합평으로 이야기 첨가하기

7. 시놉시스 구성하기
발단, 전개, 위기, 절정, 결말의 구조로 시놉시스 구성

8. 초고 쓰고 합평하기

9. 퇴고 후, 원고 넘기기

10. 팀 '북 콘서트' 열기

내가 소설을 쓴다고? 막막했던 글쓰기 상상력 놀이, 노래로 글쓰기 등 재미있게 놀다 보면 나의 학창 시절 이야기가 글이 되고, 상상이 더해져 어느덧 소설 한 편이 완성된다. 잠재의식 속의 상처가 치유되고, 잊고 살았던 마음 한구석의 낭만이 꽃이 되어 피어나는 것이다.

차마 꺼내 놓지 못했던 당신의 이야기를 소설의 허구로 포장하여, 마음껏 토해 보라. 국어책에 여러 편의 소설이 실린 유명한 지금은 작고하신 박완서 작가님도 마흔이 넘어서 책을 쓰기 시작했다. 많은 직업에 정년이 있지만, 소설가는 정년이 없다. 게다가 소설은 나의 정신을 치유하는 정신과 명의이다.

오늘 당장 나를 치유할 수 있는 당신만의 명의를 만들어 보자.

나는 천생 가르치는 일이 천직인 강사다

가르치는 일만 30년 넘게 해왔다. '가끔은 모르는 것도 가르칠 수 있어'라고 실없는 농담을 던질 수 있을 만큼 긴 세월이다. 이만하면 지치고 싫증 날 만도 한데 아직도 가방 들고 나서는 발걸음이 가볍고 설레는 것을 보면 나는 천생 가르치는 일이 천직인 강사다.

인류의 물질적인 발전을 가져온 학문이 과학이라면, 인류를 인간답게 만들었고 만들어 나갈 학문은 인문학이다. 인문학은 인간의 본성, 사회적 상호작용을 탐구하고 자신에 대한 깊은 통찰을 유도한다. 또한 다양한 관점에서 사고하도록 하며, 문학, 미술, 음악 등을 통해 감성적이고 창의적인 경험을 제공하여 창의성과 표현력을 키워준다. 한마디로 인간 정신의 만병통치약이다.

인문학은 비즈니스와 리더십 분야에서도 중요한 역할을 한다. 문제 해결, 커뮤니케이션, 팀 빌딩 등 여러 관점에서 인문학적 지식과 이해가 필요하다. 즉, 인문학은 단순히 학문적 호기심을 충족시키는 것을 넘어서, 현대 사회에서 개인적, 사회적으로 중요한 능력과 가치를 제공하는 핵심적인 학문 분야라 할 수 있다.

학문 분야라고 하니 골치 아프고 어렵다고 생각되지만, 생각하는 것처럼 고전 문학이나 철학을 연구하는 것만이 인문학이 아니다. 인문학은 우리의 생활이고 소통이다. 소설을 읽고 근사한 비평문을 쓰고, 베토벤, 모차르트를 듣고, 마네, 클림트를 볼 줄 알아야 하는 것은 아닌 것이다. 어린 시절 추억 한 조각도 학창 시절 첫사랑도 아무렇게나 끄적였던 시 한 줄도 인문학이 될 수 있다.

쓰는 것보다 읽는 것이 좋다면 박부전 강사의 문학 이야기를 들어 보자. 30여 년 내공이 작가들의 사생활과 함께 시는 물론 소설, 시나리오까지 흥미진진하게 풀어낸다. 어릴 적 문학에 대한 풋풋했던 마음들을 몽글몽글 마주하는 의미 있는 80분을 만들어 줄 것이다.

나는 작가가 꿈이야. 그럼 다시 10주! 두 달 남짓 박부전 강사와 함께하고 나면 책과 친해지고, 더 나아가 내가 작가가 되는 매직의 순간을 맞이하게 된다.

잘 아는 것과 잘 가르치는 것은 다르다. 박부전 강사는 잘 가르치는 강사다. 그리고 끊임없이 자신을 발전시키는 강사다. 어려운 것도 재미있게 쉽게 풀어낼 줄 아는 강사다.

신미숙

gostop2487@naver.com

신미놀이연구소대표
미래창조인재교육원 김해지부장
창의전래놀이교육협회 김해지부장
출판지도사
강사양성, 강사파견
대학교, 평생교육원강사
보건소, 국민건강보험공단, 복지관,
노인대학, 치매안심센터, 학교, 도서관 등 강사
「1인지식기업 시대 당신도 주인공이 될 수 있다」외 다수

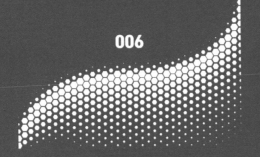

006

실버 강사의 삶과 인문학

가르치며 배우고, 배우며 살아가는 것, 그것이
우리가 인생에서 추구해야 할 진정한 학문이다
- 헨리 데이비드 소로우 -

실버 강사의 꿈을 향한 아름다운 도전

나는 긍정의 아이콘이자 웃음과 놀이 체조 강사로, 실버계의 아이돌로 사랑받는 강사다. 언제나 밝은 에너지를 전하며, 어르신들의 일상에 즐거움과 활력을 불어넣기 위해 최선을 다하고 있는 한 사람이다.

은퇴 후 새로운 인생을 설계하는 40~50대 이상의 분들에게 실버 강사가 되는 것은 매력적인 선택이 될 수 있다.

실버 강사는 주로 중장년 및 노년층을 대상으로 다양한 분야 (예:건강, 운동, 예술, 기술 사회참여 등)에서 교육 및 강의를 제공하는 강사다.

실버 강사로서의 삶은 그 자체로 한편의 특별한 여정이다. 나이가 들어가며 겪게 되는 신체적, 정신적 변화는 누구에게나 도전이 될 수 있다. 그러나 이러한 변화 속에서도 삶의 질을 높이고, 건강하고 활기찬 노년을 보낼 수 있는 방법을 찾는 것이 중요하다. 이것이 실버강사의 역할이라 생각한다.

실버 강사의 하루의 시작은 다양한 연령대와 배경을 가진 노년층과의 만남이다. 각자의 이야기와 경험을 그들만의 독특한 색깔을 가지고 있으며, 이를 통해 다양한 프로그램을 기획하고 진행한다. 신체 운동부터 정신 건강, 사회적 상호작용에 이르기까지 통합적인 접근을 통해 그들의 삶에 긍정적인 변화를 가져오기 위해 노력한다.

실버 세대를 위한 웃음과 놀이 강사가 되는 것은 단순히 즐거움을 제공하는 것 이상의 의미를 지닌다. 이는 실버 세대의 삶에 활력을 불어넣고, 건강과 행복을 증진시키는 중요한 역할을 한다.

나의 수업은 단순한 체조를 넘어, 웃음과 놀이를 통해 몸과 마음을 건강하게 만드는 특별한 시간이다. 매 순간마다 어르신들의 웃음소리가 가득 차오르고, 함께하는 시간이 기다려지는 그런 수업을 진행하고 있으며 더 재미있는 수업을 진행하기 위해 늘 노력하고 있다.

웃음과 놀이 강사로서의 여정은 단순히 개인의 성장을 넘어 사회에 긍정적인 변화를 가져오는 여정이다. 실버 세대뿐만 아니라 모든 세대에게 웃음과 놀이의 중요성을 전파하며, 더 많은 사람들이 행복한 삶을 영위할 수 있도록 기여하는 것이 나의 목표다.

실버 세대 어르신들의 건강과 행복을 위해 언제든지 달려가며. 신미숙 강사와 함께라면 매일 매일이 축제와 같은 기분으로 가득할 것이다. 어르신들의 소중한 시간에 함께할 수 있어 영광으로 생각하며 항상 긍정적인 에너지로 가득 채워드리는, 어르신들의 인기 강사 사랑받는 강사다.

나는 멋진 실버 강사,
최고의 인기 강사로 살기로 했다

실버 강사로 살아가기로 한 결심은 단순한 직업 선택이 아니라, "인생의 새로운 도전이자 열정의 표현"이다. 나의 목표는 단순히 강의하는 것을 넘어, 유아부터 실버 세대에게 진정한 배움의 즐거움과 "삶의 활력"을 전달하는 최고의 인기 강사가 되는 것이다. 지금은 그 꿈을 이루며 살아가고 있다.

1) 시작의 계기와 준비 과정

나에게 아픔이라는 병 큰 시련이 찾아오면서 꿈은 변하기 시작했다. 그때 복지관에 근무하던 둘째 언니가 이런 길을 알려주었다. 그전에는 큰 관심도 없었고, 이런 길이 있는 줄도 몰랐다, 누구에게나 기회는 찾아오는 법, "췌장이 안 좋아" 두 번의 시술을 하면서 제2의 인생이 서서히 바뀌기 시작했다.

췌장은 위험해서 수면도 마취도 없이 시술하는 아픔을 겪으며, 앞으로 잘 살아가기 위해선 "스트레스는 독이라는 박사님 말씀"에 나의 꿈이 바뀌기 시작했다.

무서운 병을 이겨 내기 위해 좋은 일을 하자는 생각에 봉사 활동을 할까? 어디서 할까? 할 무렵 한 노인복지센터를 알게 되었고, 자원봉사가 시작되었다. 그곳에서 만난 어르신들은 배움의 열정이 가득했다. 그들의 반짝이는 눈빛과 호기심 가득한 질문들은 나에게 큰 영감을 주었다. 이들에게 더 나은 교육을 제공하고 싶다는 열망이 생겼고, 나는 실버 강사의 길을 걷기로 결심했다.

2) 준비 과정

첫 번째 단계는 철저한 준비였다. 가장 먼저 전래놀이 자격증을 취득했고 너무 재미가 있기에 웃음과 레크리에이션 등 다양한 자격증을 취득하면서 선배 강사님들의 강의를 청강하며 희망과 꿈을 가지게 되었다. "나는 할 수 있다. 잘 할 수 있다.는 마법"을 걸면서 교육 자료를 수집하고, 노인 교육에 특화된 교수법을 배우기 위해 다양한 세미나와 워크숍에 참석했다. 또한, 어르신들의 심리와 건강 상태를 이해하기 위해 관련 전문 서적을 읽었고, 이러한 준비 과정은 나를 보다 전문적이고 유능한 강사로 성장시키는 밑거름이 되었다.

3) 강의의 철학

나의 강의 철학은 '배움은 즐거워야 한다'는 것이다. 어르신들이 학습하는 동안 즐거움을 느끼고, 자신 삶에 긍정적인 변화를 경험하도록 돕는 것이 나의 목표다. 이를 위해 다양한 시청각 자료와 체험 활동을 활용하며, 수업 내용을 실생활과 연관 지어 이해하기 쉽게 전달하고 강의 중에는 항상 어르신들의 의견을 존중하고, 그들의 경험을 공유할 수 있는 시간을 가지기도 한다.

4) 인기 강사가 되기 위한 노력

최고의 인기 강사가 되기 위해서는 끊임없는 자기 계발과 소통이 필요하다. 매 강의 후 피드백을 받아 개선점을 찾고, 새로운 교육 방법을 도입하기 위해 노력한다. 또한, 어르신들과의 소통을 중요시하며 그들의 요구와 관심사를 반영한 맞춤형 강의를 제공한다. 이러한 노력은 어르신들 사이에서 입소문을 타며 나를 인기 강사로 자리매김하게 되었고, 요즘은 똥꼬 강사로도 통한다.

5) 성취와 보람

실버 강사로서 활동하면서 가장 큰 보람은 어르신들이 배움을 통해 삶의 활력을 되찾는 모습을 보는 것이다. 그들이 강의 후에 감사의 말을 전하고, 배운 내용을 실천하며 삶의 질이 향상되었다고 말할 때, 나는 이 길을 선택한 것에 대한 확신과 기쁨을 느낀다.

나는 단순한 강사가 아니라, 어르신들의 삶에 긍정적인 변화를 가져다주는 동반자가 되고 싶다. 나의 꿈은 실버계의 최고 인기 강사로서, 어르신들에게 배움의 즐거움과 삶의 활력을 전달하는 것이다. 이 목표를 이루기 위해 끊임없이 노력하고, 열정과 헌신으로 가득한 강의로 어르신들의 삶에 빛을 더하고자 한다.

웃음 체조와 놀이를 결합한 새로운 운동

제 강의는 건강과 행복을 위해 체조와 놀이를 결합한 새로운 운동 아이디어를 조화롭게 섞어 진행하며, 놀이와 체조는 신체적, 정신적 건강 활동을 흥미롭게 만들어, 모든 연령대가 쉽게 즐길 수 있다는 사실이다.

몸을 움직이는 즐거움과 함께 건강한 활동을 제공하며 세대 간의 소통과 이해를 돕는 데 초점을 맞추고 있다.

워밍업(Warm-up) 수업은 스트레스를 날리기 위해 8;4;2;1 박수 치기 기법과 큰소리로 함성을 지른 후 가볍고 즐거운 워밍업으로 시작된다. 이 시간은 몸을 충분히 풀어주고, 수업을 위한 에너지를 모으는 중요한 시간이다.

놀이 체조는 기본적인 전신주타법 체조 동작에 놀이 요소를 더해, 참여자들이 쉽고 재미있게 따라 할 수 있도록 한다. 예를 들어, 풍선으로 음악에 맞춰 몸을 움직이거나, 파트너와 함께하는 체조 게임 놀이다.

음악과 함께하는 의자 체조는 어르신들이 직접 일어나 춤추기 어려운 경우에는 의자에 앉아서 할 수 있는 춤 놀이로 진행할 수 있다. 좋아하는 시대의 음악을 틀어주고, 팔다리 움직임, 몸통 회전 등 간단한 춤 동작을 따라 하게 한다. 음악은 기분을 전환시키고, 의자 춤은 안전하면서도 즐거운 신체 활동을 제공한다.

세대 간 스토리텔링은 어르신들이 자신의 과거 이야기를 젊은 세대에게 들려주는 시간을 마련한다. 이를 통해 세대 간의 소통과 이해를 돕고, 노인분들에게는 자신의 경험과 지혜를 나눌 수 있는 기회도 제공한다. 젊은 세대도 실버 세대의 생각과 가치를 이해하는 좋은 기회가 되며, 요즘은 3대가 함께하는 놀이 수업도 많이 있다.

스토리텔링 웃음 체조는 이야기를 들려주면서 그 이야기에 맞는 체조 동작을 하는 방식이다. 예를 들어, 숲속을 탐험하면서 만나는 동물들의 움직임을 따라 하는 체조를 할 수 있다. 이 방식은 참여자들의 상상력을 자극하고, 운동에 더 몰입하게 만든다.
웃음을 통한 체조는 긍정적인 에너지를 발산하고, 스트레스를 해소하는데 큰 도움이 된다. 웃음으로 인해 분비되는 "엔돌핀"은 기분을 좋게 하고, 신체의 긴장을 풀어준다.

이런 방식으로 강의를 진행함으로써, 기존의 웃음 체조와 놀이를 결합하여, 더욱 다양하고 창의적인 방법으로 신체 활동을 즐길 수 있게 하며, 참여자분들은 신체적 건강 뿐만 아니라 정신적 웰빙도 함께 증진시킬 수 있다.

나는 오늘도 내일도 즐겁고 신나게 달리는 강사다.

실버 강사가 남기는 명언

"인생은 배움의 연속이며, 나이는 지혜와 경험을 축적하는 데에 있어 단지 숫자에 불과하다. 항상 배우고자 하는 마음을 가지고 삶을 살아가라. 그리고 기억하라, 당신이 누군가에게 가르치는 순간, 당신 또한 배우는 것이다."

"나이는 숫자에 불과하며, 배움은 끝이 없다. 인생의 지혜는 끊임없는 학습과 경험 속에서 꽃피운다."

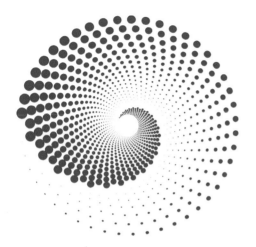

안현숙

yeppys1230@naver.com

행복누리캠퍼스(연구소)대표
행복누리캠퍼스출판사 대표
전)전남도립대 겸임교수 역임
2023 코리아문화예술대상&자랑스런한국인상
경제부문 일자리창출혁신대상
기능경기대회 심사위원역임
대한민국 기능장/한국어교원/사회복지사
코치&컨설팅/글쓰기,책쓰기 지도
60에 시작한 억대연봉강사 헐!머니가 온다 외
20권 저자

007

인생 이모작:
지식과 경험을 창업으로 연결하기

성공이 행복의 열쇠는 아닙니다
행복은 성공의 열쇠입니다
자신이 하는 일을 사랑한다면
성공할 것입니다
- 알버트 슈바이처 -

인문학과 창업의 필요성

- 인생의 다양한 경험과 창업

인생은 다양한 경험들로 이루어진다. 이 경험들은 각각의 삶을 풍요롭게 만들며, 이를 통해 얻는 지식과 이해는 우리의 정체성을 정의하는 중요한 요소가 된다. 이 인생의 다양한 경험들은 창업과 밀접한 관련성이 있다. 우리의 삶에서 얻은 지식과 경험을 창업에 활용하면, 새로운 삶의 장을 열 수 있고 이는 기존에 생각하지도 못한 새로운 가능성을 열어준다.

창업은 종종 어려운 일로 인식되곤 한다. 그러나 사실, 창업은 우리 각자가 가진 독특한 경험과 지식을 바탕으로 한다면, 그 어려움은 크게 줄어든다. 우리의 경험과 지식은 우리만이 가진 독특한 자산이며, 이 자산을 활용하여 창업함으로써, 경쟁력 있는 제품이나 서비스를 창출할 수 있다.

데카르트는 "나는 생각한다. 고로 나는 존재한다."라는 명언을 남겼다. 이 말은 우리의 생각과 지식, 경험이 우리의 존재를 정의한다는 것을 의미한다. 그리고 이것은 창업에도 그대로 적용된다. 우리의 경험과 지식, 생각이 바로 우리의 '창업 아이디어'가 된다.

따라서, 우리의 경험과 지식을 창업에 어떻게 연결할 수 있을까? 이를 위해서는 먼저, 우리가 어떤 경험을 가졌는지, 그리고 그 경험에서 어떤 지식을 얻었는지를 명확히 알아야 한다. 그리고 그것을 바탕으로, 우리가 창출할 수 있는 제품이나 서비스에 대해 생각해 보아야 한다.

예를 들어, 오랜 시간 동안 요리에 몰두해 왔다면, 그 경험과 지식을 바탕으로 식당을 창업할 수 있다. 또는, 여행을 사랑하고 여행 경험이 풍부하다면, 그 경험과 지식을 바탕으로 여행 관련 서비스를 창출할 수 있다. 이처럼, 우리의 인생 경험과 지식은 창업 아이디어를 생성하는 데 매우 중요한 역할을 한다.

하지만, 창업이란 단순히 아이디어를 가지고 있는 것만으로는 충분하지 않다. 그 아이디어를 실제로 실행에 옮기는 것이 중요하다. 이를 위해서는 창업에 관한 기본적인 지식이 필요하다. 이는 시장을 분석하고, 타깃 고객을 정의하고, 비즈니스 모델을 설정하는 등의 과정을 포함한다.

그리고 이 과정에서 또한 우리의 경험과 지식이 중요한 역할을 한다. 우리의 경험과 지식을 바탕으로, 우리는 시장의 트렌드를 빠르게 파악하고, 타깃 고객의 니즈를 정확히 이해하며, 유니크한 비즈니스 모델을 설정할 수 있다. 이처럼, 인생의 다양한 경험과 창업은 매우 밀접하게 연관되어 있다.

결국, 창업이란 우리의 인생 경험과 지식을 바탕으로 새로운 가치를 창출해 내는 과정이다. 이 과정에서 우리는 자신만의 독특한 가치를 세상에 전파하게 되며, 이는 사회 전체에 큰 영향을 미치게 된다. 그리고 이것이 바로 인문학과 창업이 만나는 지점이다. 인문학은 사람의 삶과 사회, 문화에 대한 깊은 이해를 바탕으로, 사람들이 더 나은 삶을 영위할 수 있도록 돕는 학문이다. 그리고 창업은 그런 인문학적 이해를 바탕으로 새로운 가치를 창출해 내는 활동이다.

이제 우리는 인생의 다양한 경험과 창업이 어떻게 연관되어 있는지 알게 되었다. 이제부터는 우리의 경험과 지식을 더욱 적극적으로 활용하여 창업을 준비해 보는 것은 어떨까? 이것은 우리 각자의 삶을 더욱 풍요롭게 만들고, 사회 전체에 새로운 가치를 제공하는 중요한 첫걸음이 될 것이다.

- 지식과 경험의 활용

인문학과 창업이 만나는 순간에는 '지식과 경험의 활용'이라는 핵심 주제가 존재한다. 이는 우리의 지식과 경험이 우리만의 독특한 가치를 창출하는 원천이며, 창업에 연결함으로써, 우리는 새로운 가능성을 창출해 낼 수 있다는 것이다.

현대 사회에서 주목받고 있는 '지식경제'와 '창업'의 합성어인 '지식창업'의 개념은 이 견해와 일치한다. '지식창업'은 개인이나 집단이 가진 지식을 상품화하거나 서비스화하여 경제적 이익을 창출하는 것으로, 이는 개인의 지식과 경험, 그리고 창의력이 결합되어야만 가능하다.

예를 들어, 요리에 대한 깊은 지식과 뛰어난 요리 경험이 있는 한 사람이 그 지식과 경험을 바탕으로 독특한 메뉴를 개발하여 식당을 창업하는 경우를 생각해 보면, 이 사람의 요리에 대한 지식과 경험, 그리고 창의력이 결합한 결과로, 그는 시장에서 경쟁력 있는 제품을 창출하여 경제적 이익을 얻을 수 있다. 이는 개인의 지식과 경험을 활용하여 창업하는 것이 바로 '지식창업'의 본질이다.

그러나 지식창업은 단순히 지식과 경험을 상품화하는 것만으로는 충분하지 않다. 지식과 경험을 바탕으로 창업 아이디어를 도출하는 것은 중요하지만, 그 아이디어를 효과적으로 시장에 전달하고, 소비자에게 인정받을 수 있는 제품이나 서비스로 만드는 것이 더 중요하다. 이를 위해 우리는 창업에 필요한 기본적인 지식과 전략을 알아야 한다.

이러한 지식과 전략은 시장조사, 타깃 고객 선정, 비즈니스 모델 개발 등을 포함한다. 우리는 시장조사를 통해 시장의 트렌드와 소비자의 니즈를 파악하고, 타깃 고객을 선정하여 그들의 요구를 충족시킬 수 있는 제품이나 서비스를 개발할 수 있다. 또한, 우리는 비즈니스 모델을 개발하여 우리의 제품이나 서비스를 어떻게 시장에 판매할 것인지, 어떻게 이익을 창출할 것인지를 계획할 수 있다.

따라서, 지식과 경험의 활용은 단순히 지식과 경험을 상품화하는 것이 아니라, 지식과 경험을 바탕으로 창업 아이디어를 도출하고, 그 아이디어를 시장에 효과적으로 전달하고, 소비자에게 인정받을 수 있는 제품이나 서비스로 만드는 과정을 포함한다. 이렇게 지식과 경험의 활용을 통해 창업하는 것이 바로 '지식창업'의 본질이며, 이를 통해 우리는 새로운 가능성을 창출해 낼 수 있다.

이렇게 지식과 경험을 통해 창업하는 방법은 우리가 살아가며 쌓아온 모든 경험과 지식을 최대한 활용할 수 있는 방법이다. 이를 통해 우리는 더 나은 세상을 만들어 나가는 데 기여할 수 있다. 이것이 바로 인문학과 창업이 만나는 지점에서 우리가 추구해야 할 가치이다.

창업을 위한 기본 지식과 전략

-기본적인 창업 지식

인문학과 창업이 만나는 순간은 바로 지식과 경험의 활용이 새로운 가치를 창출하는 특별한 시점이라 할 수 있다. 우리의 지식과 경험, 이 두 가지 요소가 바로 우리의 '창업 아이디어'의 핵심이다. 그러나 아무리 훌륭한 아이디어라 해도 그것을 실제로 실행에 옮기지 않으면, 그것은 그저 머릿속의 상상에 불과하게 된다. 그래서 창업에 필요한 기본적인 지식의 습득이 필수적이다.

창업에 필요한 기본적인 지식은 사업 계획의 작성, 법적 요건 이해, 초기 자본 조달 방법 등을 포함한다. 이러한 지식 없이는 아이디어 만으로는 창업의 성공을 이룰 수 없다. 따라서 이러한 지식을 습득하는 것은 창업을 준비하는 이들에게 필수적인 과정이다.

그런데, 이러한 기본적인 창업 지식을 얻는 것만으로는 부족하다. 그 지식을 실제로 창업에 적용하는 능력이 필요하다. 그것은 실제로 사업 계획을 작성하고, 법적 요건을 이해하며, 초기 자본을 조달하는 능력을 의미한다. 이러한 능력은 처음부터 완벽하게 갖추기는 어렵지만 창업을 경험하며 점차 습득할 수 있다.

창업을 경험하려면 우선 창업에 대한 두려움을 버려야 한다. 물론, 창업은 실패할 위험이 항상 동반하는 어려운 일이지만 그것은 동시에 새로운 가능성을 탐색하는 데 필요한 과정이다. 두려움을 극복하고 창업의 도전을 받아들이는 것, 이것이 바로 창업에 성공하는 첫걸음 이다.

창업에 성공하는 데에는 또한 지속적인 노력이 필요하다. 창업은 일시적인 과정이 아니라 지속적인 과정이다. 새로운 아이디어를 찾아내고, 그 아이디어를 실제로 실행에 옮기고, 그 과정에서 발생하는 문제를 해결하는 데에는 지속적인 노력이 필요하다. 이러한 노력 없이는 창업의 성공을 이룰 수 없다.

마지막으로 창업에 성공하는 데에는 창업자 자신의 열정이 필요하다. 창업은 단순히 경제적 이익을 얻기 위한 과정이 아니라, 자기의 아이디어를 실현하고, 그것을 통해 세상에 새로운 가치를 전달하기 위한 과정이다. 그러한 과정을 이루기 위해서는 창업자 자신의 열정이 필요하다.

이처럼, 창업을 위한 기본적인 지식과 그 지식을 실제로 창업에 적용하는 능력, 그리고 창업에 대한 두려움을 극복하고 지속적인 노력을 기울이는 자세, 그리고 창업에 대한 열정이 필요하다. 이 모든 것이 결합한 순간, 우리는 창업의 성공을 이룰 수 있다.

이러한 과정을 통해 우리는 인생의 다양한 경험과 지식을 창업에 연결하여 새로운 가치를 창출하는 데 성공할 수 있다. 그리고 그것은 우리 각자의 삶을 더욱 풍요롭게 만들고, 사회 전체에 새로운 가치를 제공하는 중요한 첫걸음이 될 것이다. 이것이 바로 인문학과 창업이 만나는 지점이며, 그것은 우리의 사회에 새로운 변화와 발전을 가져오는 중요한 역할을 한다.

- 브랜드 구축과 마케팅 전략

창업의 성공은 '브랜드 구축'과 '마케팅 전략'이라는 두 개의 중요한 요소에 의해 결정된다. 이들은 창업자가 시장에서 제품이나 서비스를 어떻게 부각시킬지, 그리고 그것을 어떻게 소비자에게 전달할지를 결정하는 핵심적인 부분이다.

브랜드 구축이란 제품이나 서비스가 지닌 독특한 가치와 특징을 강조하고, 그것을 소비자에게 알리는 과정이다. 이 과정은 제품이나 서비스를 시장에서 독특하게 만들어 주는 요소로, 소비자들이 제품이나 서비스를 선택하는 데 결정적인 역할을 한다.

브랜드 구축에 필요한 전략은 두 가지다. 첫째, 제품이나 서비스의 가치와 특징을 명확히 파악해야 한다. 이는 제품이나 서비스를 구성하는 핵심적인 요소들을 분석해 제품의 독특한 기능이나 서비스가 제공하는 특별한 경험 등을 찾아내는 것이다. 둘째, 가치와 특징을 시장에 알리는 전략이 필요하다. 이는 광고, SNS 마케팅, 이벤트 등 다양한 방법을 통해 제품이나 서비스를 알릴 수 있다.

마케팅 전략은 제품이나 서비스를 어떻게 시장에서 판매할 것인지에 대한 전략이다. 이는 제품이나 서비스를 어떻게 소비자에게 전달하고 판매할 것인지를 결정하는 핵심적인 부분이다.

마케팅 전략을 세우기 위해서는 먼저 타깃 시장과 그 시장의 특성을 명확히 이해해야 한다. 이는 제품이나 서비스가 어느 시장에 집중해야 하는지, 그 시장에서 가장 효과적인 마케팅 방법은 무엇인지를 결정하는 데 도움이 된다. 또한, 제품이나 서비스를 어떻게 판매할 것인지에 대한 전략도 필요하다. 이는 제품이나 서비스의 가격 설정, 판매 채널의 선택, 프로모션 전략 등을 포함한다.

브랜드 구축과 마케팅 전략은 창업의 성공을 위한 필수적인 요소다. 이 두 가지 요소를 효과적으로 활용함으로써, 제품이나 서비스를 시장에서 성공적으로 끌어낼 수 있다. 그리고 그 결과로, 창업을 통해 새로운 가능성을 창출해 낼 수 있다.

"창업은 브랜드 구축과 마케팅 전략의 활용 없이는 성공할 수 없다."
이 말은 창업을 통해 새로운 가능성을 창출해 내는 데 필요한 중요한
가이드라인을 제시한다. 이를 통해 창업의 성공을 위한 중요한
첫걸음을 내디딜 수 있다.

이를 위해 창업자는 브랜드 구축과 마케팅 전략에 대한 깊은 이해와
실질적인 기술을 배워야 한다. 이는 창업을 통해 새로운 가능성을
창출해 내기 위한 필수적인 기초이며, 이는 창업을 통해 새로운 가치를
창출해 내는 데 필요한 핵심적인 능력을 갖추기 위해 필수적이다.

지속 가능한 창업과 그 이후

- 자원 관리와 사업 운영

"돈은 좋은 하인이지만 나쁜 주인이다."라는 명언은 자원 관리와 사업 운영에 관한 중요한 원칙을 잘 보여준다. 창업자로서의 여정에서 우리는 자원을 효율적으로 관리하고 사업을 운영하는 방법에 대해 깊이 이해해야 한다.

이 원칙은 우리에게 돈을 주인으로서가 아니라 하인으로서 다루는 방법을 요구한다. 이것은 자본과 자원을 적절하게 배분하고, 비용을 절감하면서도 효율성을 유지하는 방법을 배우는 과정이다.

또한, 사업 운영 도중에는 예상치 못한 도전과 기회가 함께 나타난다. 이런 상황에서 유연성과 적응성은 필수적이다. 최근의 코로나19 팬데믹은 많은 기업에 도전을 던졌지만, 동시에 이는 디지털 변환, 원격 근무, 온라인 마케팅 등 새로운 기회를 제공했다. 이런 상황 속에서도 성장하고 발전하기 위해서는 시장의 동향을 빠르게 파악하고, 변화에 적응하는 능력이 필요하다.

이러한 과정에서 '지속 가능한 창업'의 진정한 의미를 깨닫게 된다. 지속 가능한 창업이란 단순히 비즈니스를 성공적으로 운영하는 것을 넘어서, 사회적, 환경적 책임을 이행하며, 동시에 경제적 가치를 창출하는 것이다.

결국, 지속 가능한 창업은 창업자가 사업을 통해 세상에 긍정적인 변화를 불러오는 것이다. 이것이 바로 이 책의 목표이며, 우리가 모두 지향해야 할 목표이다. 이 책을 통해 우리는 자원 관리와 사업 운영에 대한 중요한 지식을 습득할 수 있다. 이 지식은 우리가 미래의 지식 창업가로 성장하는 데 큰 도움이 될 것이다.

그러니 이제 우리는 자기 경험과 지식, 그리고 이 책에서 배운 지식을 바탕으로 새로운 시작을 준비해 보는 것은 어떨까? 그것은 정말로 흥미진진하고 가치 있는 여정이 될 것이다.

"지식은 힘이다. 정보는 자유다."라는 말이 창업 여정에 적용되길 바란다. 우리는 이 책을 통해 지식을 얻었고, 이제 그 지식을 활용하여 자유롭고, 성공적인 창업을 준비할 수 있다.

지속 가능한 창업과 그 이후, 이것은 바로 지속 가능한 창업과 그 이후의 미래를 결정하는 핵심 요소이며, 우리의 미래를 결정하는 중요한 순간이다.

- 지속 가능한 사업 운영 전략

지식 창업의 성공 이후에도 우리의 사업은 계속해야 한다. 성공적인 창업가로서 계속 나아가려면, 사업을 지속 가능한 방식으로 운영하는 전략이 필수이다. 이것은 단순히 경제적 이익을 추구하는 것을 넘어서, 사회적, 환경적, 윤리적 가치를 중요시하며 장기적인 사업 성공을 위한 핵심 요소를 고려하는 것을 의미한다.

슘페터의 말에 따르면, 창업은 고립된 행동이 아니라 사회적 맥락에서 발생한다. 이것은 우리의 사업이 주변 사회와 환경과 깊게 연결되어 있다는 것을 의미하며, 이 관계를 이해하고 이를 바탕으로 지속 가능한 사업 전략을 구축하는 것이 중요하다.

지속 가능한 사업 전략을 구축하기 위해서는 다음과 같은 사항들이 중요하다.

첫째, 시장 변화와 고객의 요구를 지속적으로 파악하고 반영해야 한다. 이를 위해 지속적인 시장 조사와 고객 연구를 통해 제품이나 서비스를 개선하고 혁신해야 한다.

둘째, 사회적 가치를 중심으로 해야 한다. 사회적 책임을 다하고 사회적 문제 해결에 기여하는 사업을 운영하는 것은 장기적인 성공을 위해 필요하다.

셋째, 환경 보호를 고려해야 한다. 이를 위해 환경친화적인 사업 모델을 개발하고, 환경 보호 활동에 참여해야 한다.

넷째, 윤리적 가치를 중요시해야 한다. 사업을 운영하면서 다양한 윤리적 이슈와 질문에 대해 충분히 고민하고, 올바른 결정을 내리는 것이 필요하다.

다섯째, 장기적인 시야를 가지고 있어야 한다. 단기적인 이익보다 장기적인 성장과 발전을 추구해야 하며, 이를 위해 지속 가능한 사업 모델을 개발하고 장기적인 사업 전략을 설정해야 한다.

여섯째, 융통성이 필요하다. 사업 환경은 계속해서 변화하므로, 이 변화에 유연하게 대응하고, 변화를 기회로 삼는 것이 중요하다.

이들 지속 가능한 사업 운영 전략들은 사업의 성공을 위한 필수적인 요소이며, 이를 통해 사회 전체의 발전에도 기여할 수 있다. 이것이 바로 지속 가능한 창업의 의미이다.

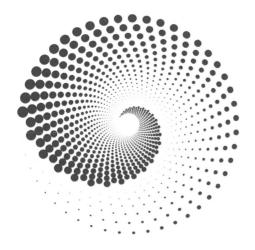

윤지원

jiwon4211@naver.com

한국여가문화원 대표
신간베스트셀러 작가, 강연가
한국출판지도사협회 부회장, 서울 도봉노원지부장
KCN 뉴스 문화부 취재부장
춤인문학, 기업워크샵, 스트레스관리
농협, 구미시, 송호대학교 평생교육원 등 지자체 강의
2023년 자랑스런 한국인 대상 [강사부분] 수상
저서:세상을 바꾸는 퍼스널브랜딩 외 10권

008

대한민국 최초
여성 춤 인문학 강사라고?

인생은 폭풍우가 지나가기를
기다리는 것이 아니라 빗속에서 춤추는 법을
배우는 것이다. -비비 코헨 -

춤 인문학과 썸 타는 스타강사

나는 1인기업 프리랜서 강사 '한국여가예술문화원' 대표다. 한국여가예술문화원은 여가와 예술로 행복하고 즐겁게 사는 액티브시니어의 삶이 담겨 있다. 그 외 KCN뉴스 취재부장, 한국출판지도사 협회 부회장, 한국자서전협회 대표강사, 디지털 융합교육원 지도교수, 하모니웰니스 부대표, 한국디지털문화연구원 부대표를 맡고 있다. 「세상을 바꾸는 퍼스널 브랜딩」「나는 이렇게 돈번다」「1인기업으로 돈버는 40가지 방법」「인지 문학」「3인3색 시화집」「제주도 아이들과 두 달 살기」「신나는 목표 10가지」 등 신작 베스트셀러 1권과 전자책, 공저 책 등을 포함하여 13권의 저서를 집필한 작가다.

그리고 또 하나의 직업은 스타강사! 네이버 포털에서 '스타강사 윤지원' 검색하면 윤지원 인터넷에 보이고, 유튜브 '스타강사 윤지원TV'를 검색하면 나를 만날 수 있다. 2023년 뉴실버 타임즈 자랑스런 한국인 강사부문 대상을 받았다. 나는 스타강사다. 춤 인문학과 썸 타는 스타강사! 내 안의 작은 거인을 꺼내어 대상자들을 춤추게 하는 나는 춤 인문학 강사다.

나는 23년 다녔던 직장을 집안일로 퇴사하게 되고 학교 방과 후 강사를 시작했다. 아이들을 돌보면서 할 수 있었다. 그러면서 아이들은 커가고 집에는 빚으로 힘든 상황이 되었다. 있던 집을 팔아야 했고, 빚 스트레스로 병원에 입원했다. 스트레스, 갱년기, 우울증은 나를 블랙홀로 빠지게 했다. 매일 울었고 하루하루가 어둠이었다. 그냥 어둠뿐이었다.

나를 위해 매일 기도해 주신 목사님 부부, 그리고 나를 걱정해 주는 가족과 지인들의 목소리가 하나둘씩 들리기 시작했고 춤을 만나게 된다. 나는 춤을 전공했거나, 인문학을 전공하지 않았다. 아이 셋과 애완동물 5마리를 키우는 평범한 주부다. 그리고 지금은 뜨거운 가슴을 가지게 된 춤 인문학 강사가 되었다. 내 안에 잠자는 거인이 깨어서 춤을 추는 순간 나는 움직였다.

"강의는 듣는 것이 아니라 내가 변화하는 것이다. 나를 움직이는 몸짓이다. 강의는 뜨거운 나를 만나는 순간이다. 나는 그들의 잠자는 거인을 깨워주는 사람이다."

잠자는 나를 깨운 것이 춤이었다. 나는 그들에게 그들 안에 있는 가슴 뜨거운 자신을 만나게 해주는 소명! 그것이 강의에 대한 나의 신념이다. 뜨거운 가슴의 대한민국 여성 1호! 춤 인문학 스타강사 윤지원! 우리 함께 춤 인문학과 썸 타보자. 내 안의 나를 만나보자. 자, 춤 인문학의 세계로 출발 레츠 고!

잠자는 거인을 깨우는 춤 인문학 여행

춤 인문학? 춤은 단순한 일련의 발걸음과 동작 그 이상이다. 사람에게 주신 능력 중 하나는 춤이다. 우리 인류는 춤으로 어떤 이야기를 하고 싶었던 걸까? 내 삶에서 가장 가까이 있는 춤, 내 안에 숨겨진 보물찾기. '인문학' 한자 풀이와 역사 이야기의 어렵고 졸린 강의는 듣고 싶지 않다. 하고 싶지도 않다. 세계 여러 나라의 흥미진진한 춤 이야기, 목숨을 건 댄서, 영화에서 보는 춤의 세계, 세계 유명 댄서의 숨겨진 일화를 알아보고, 기업 힐링 춤, 스트레스 해소 춤 등 내 안에 거인을 깨우는 신나는 변화의 시간을 가져본다.

춤? 취미로 배울 수 있다. 춤? 막춤 추면 된다. 그러나 춤이 인문학을 만나면? 막춤은 꿈의 문이 된다. 몸만 뜨거울 것인가? 가슴이 뜨거워질 것인가? 그 문을 대한민국 최초 여성 춤 인문학 강사 윤지원 대표가 열어줄 것이다. 편한 조직 만들기, 조직원 스트레스 해소, 힐링 워크숍, 기업 관공서 주요 행사, 대학교 교육원 명강사 최고위 과정, 각종 세미나, 이색 강의 등 인문교육과 힐링 강의로 인기 있는 춤 인문학! 신나는 춤 인문학 세계로 떠나볼까?

춤 인문학 강의 커리큘럼의 예시는 아래와 같다.

움직임을 통한 스토리텔링의 힘
인도의 영적 춤 힌두 신화 이야기
북경 베이징 오페라의 사랑과 비애
일본 가부키 극장에서는 무슨 일이?
아프리카 마사이족 젊은이들의 반란
문화의 용광로 카리브해 살사가 미국으로 건너가면?
아르헨티나 열정적인 탱고 사교 행사 밀롱가의 커플
아프리카 노예로부터 전해오는 이 춤은?
나이트클럽의 신화 니콜라스 브라더스
우리나라 강강술래는 며느리들의 반란?
힙합 댄서 헤드 스핀의 비밀
아프리카 전통춤 파우와우 유산을 지키는 무용수
뉴질랜드 마오리족의 전쟁 춤에서 장례 춤까지

호주 3대 무용단 그것이 알고 싶다.

루돌프 누레예프의 자유를 향한 목숨을 건 도약

영화 '더티 댄싱'에서 보는 아슬아슬한 포즈

세계를 강타한 싸이 '강남스타일' 말 시그니쳐는 어떻게 나왔나?

춤의 본질은 쇼츠에 다 담겨 있다

방탄소년단 고정관념 깨기

세계 유명 댄서 마이클 잭슨, 밀리 오베르토, 비욘세

알리 스토커 휠체어의 기적

춤으로 맺어진 환상의 커플

영화로 떠나는 춤의 세계

애니메이션으로 보는 춤의 매력

몸에서 찌꺼기를 배출하는 네 가지

국가별 춤 유형

우리나라 민속춤 종류

세계 유명한 춤 대회

연령 별 추천하는 춤 배우기

Name Moves 춤 동작으로 나를 소개하기

커뮤니티 춤 팀 빌딩을 통한 잠자는 거인 깨우기

조화로운 기업 팀을 위한 화합 춤 춤 워크숍

몸치 탈출 프로젝트

편한 조직 만드는 힐링 리듬춤

팀 단결과 직장 내 스트레스를 해소하는 라인춤

마음을 여는 것은 몸의 움직임에서 시작된다. 마음 근육을 단단히 해야 몸의 근육도 단단해지는 것이다. 상처받은 내가 치유되는 경험을 한 것처럼 춤은 우리에게 마음의 근육과 몸의 근육을 튼튼하게 해준다.

춤은 감정의 표현이며, 우리 내면세계를 드러내는 수단이다. 조직원의 열정과 우정을 나누는 공간이다. 이 강의는 우리 삶에 활력과 에너지를 불어넣는 활기찬 활동이 된다. 자아를 발견하고 자신감을 키우는 과정이 된다. 우리 자신과 다른 사람들과 함께 존재하는 방법을 새롭게 발견하는 소중한 기회를 얻게 된다.

고된 생활에 지친 당신! 무기력한 당신! 하루에도 몇 번이고 공격당하는 내 심장! 내 마음이 말하는 것을 춤으로 표현한다. 조직원들과 함께하는 강의, 춤은 소통이 되고 춤은 공감이 되고 어느새 가면을 쓴 나는 없어진다. 그리고 내 안의 숨은 거인을 만날 수 있다. 그 거인이 깨어나면 나는 자유로워진다. 춤은 그렇다. 나를 자유롭게 하고 기쁨을 주며, 생활에 활력을 준다. 그리고 춤추는 우리는 행복하다.

어디에서도 들을 수 없는 춤 인문학 여행! 그것이 내 강의의 차별화이다. 가만히 기다리지 않는다.

'인생은 폭풍우가 지나가기를 기다리는 것이 아니라 빗속에서 춤추는 법을 배우는 것이다.' -비비 코헨 강의를 마치고 나면 내 심장은 두근거린다. 이 순간이 내가 강의하는 이유다. 섭외 담당자가 "오늘 수고하신 춤 인문학 강사 윤지원 대표님에게 큰 박수를 주세요' 라고 했을 때 반응은 심장박동수 체크기다. 박수와 환호를 받는 수만큼 내 심장은 뛴다. 심장이 뛰고 있다는 것은 내가 살아있다는 증거다. 무엇보다 보람 된 순간이다.

강의 후에도 추었던 춤을 계속 따라 하는 참여자, 팀 강화 다시 연습하는 모습, 환하게 웃는 섭외 담당자 등을 본다. 내 강의로 작은 움직임이 파도 타듯 출렁인다. 지식을 전달하는 강의는 온라인에서 하는 것! 우리가 시간을 내어 오프라인으로 만나는 이유 그것은 사람과 사람 간의 교감이며 소통이다. 스타 강사가 해야 하는 일은 지식을 전달하는 게 아니라, 소통과 교감으로 작은 움직임을 일으키는 것이다. 작은 날갯짓이 큰 태풍을 불러올 수 있듯이 말이다.

새로운 자아의 발견! 새로운 춤 인문학 강의 섭외 담당자가 다른 강의처를 소개해 준다는 것은 강사로서 자존감이 높아진다. 리콜 들어오는 강의! 소개해 주는 강의가 최고의 강의 아닌가?

윤지원 스타강사의 춤 인문학 강의가 워크숍 행사에서 인기 있는 이유

1) 춤과 인문학이라는 참신한 소재의 강의
2) 춤을 인문학으로 풀어가는 빠져드는 세계 춤 여행
3) 어느새 내가 춤추고 있다!
   행복한 춤을 추고 있는 나를 발견한다.

나는 강사다!
대한민국 최초 여성 춤 인문학 강사다

어렵고 따분한 인문학이 아니라, 세계 여러 나라 춤에 관련된 이야기를 쉽고 재미있게 풀어간다. 내 몸의 소리를 듣게 되고, 편안하고 즐거운 나를 만나는 여행이 된다. 강의에서 내가 가장 중요하게 생각하는 것은 '쉽고 재밌게 소통하는 강의'이다. 소통은 참여자에 관심을 가지고 이해하며 참여자의 소리를 듣는 것이다.

대한민국 여성 1호 춤 인문학 강사, 스타 강사 윤지원은 '한국여가예술문화원' 대표다. 우울증에서 벗어나 강연하고 책을 쓴다. 그것은 나의 작은 움직임에서 비롯되었다. 내 작은 날갯짓을 책으로 출판한다. 나와 같은 이들과 함께 하고 싶다.

지금의 작은 움직임이 여러분의 큰 꿈을 이루어 줄 것이다. 한국여가예술문화원은 '작은 변화로 꿈을 이루는 곳'으로 함께 신나는 성장을 추구한다.

앞으로 더 많은 강연과 좋은 인연들을 만나 함께 성장하며 즐겁게 살아가고 싶다.

스타 강사 윤지원! 춤을 사랑한다. 춤은 곧 나다. 나를 사랑하는 강연가! 나와 소통은 춤이 되고, 춤은 사는 이야기이고 삶이다. 그리고 삶은 기적이다. 기적 같은 오늘 나는 행복하다.

임광숙

kslim1545@hotmail.com

덕성여대 대학원 국어학 석사
숙명여대 대학원 TESOL 과정 수료
미국 거주, 작가, 심리상담가, 출판지도사
〈성장숲〉 오픈채팅방 대표,
〈한국 출판지도사 협회〉 미주 본부장
미국 의대 유학/이민 컨설팅

저서 : 〈이것만 알아도 미국의대 가기 참 쉽다〉,
〈자녀 미국의사 만들기〉,
〈The Adventures of Ian 이안의 모험〉,
〈바다의 신비〉 외 다수

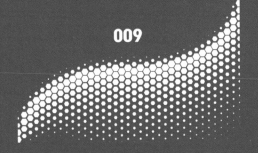

009

여행과 인문학의 만남

인문학은 인간의 삶을 이해하고
해석하는 예술이다
- 에드워드 사이드 -

경주의 아침, 정동진의 모래시계

경주에서의 첫 아침은 상쾌했다. Lahan 호텔에서 일어나 창밖을 바라보니, 경주 한옥마을의 고요한 풍경이 눈에 들어왔다. 오래된 역사와 현대가 공존하는 이 도시는 매 순간 새로운 이야기를 들려준다. 경주는 천년 신라의 찬란한 문명을 간직한 도시로써, 수많은 고분과 유적지가 이곳의 역사를 증언하고 있다. 경주를 둘러보며 가장 먼저 느낀 것은 도시 곳곳에 자리한 고분들이다. 마치 거대한 박물관 속에 있는 듯한 느낌을 주는 이곳은, 신라의 왕과 귀족들이 잠들어 있는 고분들이 도시 전체에 퍼져 있다. 이러한 고분들은 신라의 찬란한 문명과 그들의 예술, 과학, 그리고 정치 체계를 엿볼 수 있게 해준다. 천년의 시간을 간직한 이 무덤들은 당시 사람들의 삶과 죽음을 이해하는 데 중요한 단서를 제공한다.

천마총, 대릉원 등 경주의 주요 유적지를 방문하며, 나는 신라의 예술적 성취에 감탄하지 않을 수 없었다. 천마총에서 발견된 천마도는 신라 사람들의 예술적 감각과 정신세계를 잘 보여준다.

고분 속에서 발견된 다양한 유물들은 신라의 고도로 발달한 금속공예 기술과 문화적 수준을 반영한다. 이러한 유물들은 단순한 장식품을 넘어, 신라 사회의 복잡성과 그들의 종교적 믿음을 보여주는 중요한 자료들이다. 경주의 고분들은 또한 신라의 정치적 역사를 이해하는 데 중요한 역할을 한다. 신라의 왕과 귀족들은 이곳에 묻히면서, 그들의 권력과 부를 고스란히 드러냈다. 고분의 크기와 구조, 그리고 그 안에 포함된 유물들은 당시 사회의 계층 구조와 정치적 권력을 시각적으로 보여준다. 경주의 고분을 탐방하면서, 나는 신라의 정치적 역동성과 그들이 이룬 업적을 더 깊이 이해하게 되었다.

　경주를 떠나 영덕 휴게소에 들렀다. 반건조 홍시를 사서 나눠 먹으며, 엄마와의 추억이 떠올랐다. 작은 홍시 하나에도 어린 시절의 기억이 담겨 있다니…. 인문학은 이렇게 우리의 일상 속에 숨겨져 있다. 홍시를 한 입 베어 물며, 엄마가 왕겨 속에 고이 묻어놨다 건네주었던 홍시의 맛이 떠올랐다. 그 당시에는 그저 단순한 과일로만 생각했지만, 시간이 지나며 그 맛 속에는 어머니의 사랑과 정성이 녹아 있음을 깨닫게 된다. 여행 중 느끼는 이런 작은 감정들이야말로 인문학이 우리의 일상에 어떻게 스며드는지를 보여준다. 영덕 휴게소에서의 짧은 시간이지만, 그 순간은 나에게 깊은 인상을 남겼다. 경주의 찬란한 역사와 현대의 일상 속에서, 나는 인문학이 우리 삶에 어떻게 깊이 뿌리내리고 있는지를 다시금 깨닫는다. 각각의 장소는 그냥 관광지가 아니라,

우리의 과거와 현재를 연결해 주는 중요한 매개체다. 모든 여행지에서의 경험은 나에게 깊은 인문학적 통찰을 안겨준다.

동해에서 KTX를 타고 정동진으로 향했다. 드라마 '모래시계'의 배경이 된 이곳은 여전히 그 감동을 간직하고 있었다. 삽입곡이 울려 퍼지는 정동진역에서, 나는 드라마 속 주인공들의 감정을 고스란히 느낄 수 있었다. 드라마 '모래시계'의 촬영지로 유명한 이곳은 여전히 많은 관광객으로 붐볐다. 모래시계를 바라보며 인생의 유한함을 다시 느꼈다. 시간이 흘러가는 것을 눈으로 본다는 것은, 우리에게 순간의 소중함을 일깨워 준다.

나는 과거의 나 자신과 대면하는 시간을 가졌다. 어린 시절의 꿈, 청소년기의 어려움, 그리고 지금의 내가 되기까지의 삶의 과정이 주마등처럼 스쳐 지나갔다. 시간은 누구에게나 공평하게 주어진다. 우리가 그 시간을 어떻게 사용하는가에 따라 우리의 삶은 달라진다. 정동진의 모래시계 앞에서, 나는 나의 시간을 어떻게 사용하고 있는지 다시금 생각하게 되었다. 앞으로의 시간도 소중히 여기며, 나의 꿈과 목표를 향해 한 걸음씩 나아가야겠다고 생각했다.

삼척의 바람, 강릉의 역사

　삼척 해변을 걸으며 바닷바람을 맞았다. 자연의 아름다움은
언제나 마음을 평온하게 해준다. 바다를 보며 떠오른 생각들은
하나하나가 소중했다. 여행 중에 느끼는 자유로움은 우리의 삶을
더 풍요롭게 만든다. 바다를 보며 많은 철학자가 자연에서 영감을
받았음을 상기해 본다. 파도가 철썩이는 소리를 들으며, 나는 삶의
고요함과 소란스러움을 동시에 느낀다. 바다는 끝없이 펼쳐진 삶의
무대를 상징하는 것 같다. 각기 다른 사람들이 각자의 이야기를 갖고
바다를 찾고, 그 속에서 자신을 발견하는 과정은 인문학적 탐구의
과정과 닮았다. 삼척 해변에서의 시간은 내게 자연과 삶의 본질을
다시 생각하게 하는 귀중한 시간이었다.

삼척 해변을 걸은 후, 근처의 한 식당에 들러 점심으로 전복 해물탕을 먹었다. 신선한 전복과 다양한 해산물이 가득한 해물탕은 진한 국물과 어우러져 그야말로 일품이었다. 국물 한 숟가락을 떠먹을 때마다 바다의 맛이 입안 가득 퍼지며, 삼척의 바다를 그대로 담아낸 듯했다. 전복의 쫄깃한 식감과 해물의 풍부한 맛이 어우러져 여행의 피로를 말끔히 씻어주는 느낌이었다. 식사를 마치고 나니, 몸과 마음이 모두 충전된 기분이었다. 전복 해물탕의 깊은 맛은 바닷바람과 파도의 소리와 함께 삼척에서의 추억으로 오래도록 남을 것이다.

강릉에 도착해 오죽헌과 허난설헌 생가를 방문했다. 이곳에서 신사임당과 이율곡, 그리고 허난설헌의 삶을 되새기며 그들의 영향력에 대해 깊이 생각하게 되었다. 신사임당과 허난설헌은 그 시대를 앞서간 여성들이었다. 그들은 당대의 사회적 제약을 뛰어넘어 자기 능력을 발휘하며 역사에 큰 발자국을 남겼다.

신사임당은 조선 시대의 대표적인 여성 예술가이자 교육자였다. 그녀의 그림과 시는 오늘날까지도 많은 사람에게 영감을 주고 있다. 그녀는 아들 이율곡을 훌륭하게 키워낸 어머니로도 유명하다. 이율곡은 조선 중기의 대표적인 성리학자로, 그의 학문과 정치적 영향력은 조선 사회를 이끄는 데 큰 역할을 했다. 신사임당은 단순히 예술가로서만이 아니라, 자식을 훌륭하게 키운 어머니로서의 역할도 뛰어났다. 그녀는 자식 교육에서도 시대를 앞서간 인물이다.

오죽헌에서 신사임당의 작품을 감상하면서 그녀의 예술적 재능과 함께 어머니의 역할을 다시금 생각하게 되었다. 그녀는 아들 이율곡이 학문적으로 성장할 수 있도록 물심양면으로 지원했다. 이율곡이 후에 성리학자로서 큰 업적을 남기게 된 데에는 신사임당의 교육적 영향이 컸다. 그녀의 철저한 교육 방침과 자애로운 어머니의 사랑이 이율곡을 키운 원동력이었다.

허난설헌 역시 시대를 앞서간 여성 중 한 명이다. 그녀는 문학적 재능을 발휘하여 많은 시를 남겼다. 그녀의 시는 그 당시 여성의 삶과 고뇌를 잘 담아내고 있으며, 오늘날에도 많은 사람에게 읽히고 있다. 허난설헌의 생가를 방문하며 그녀의 삶을 되짚어 보았다. 그녀는 자신의 재능을 발휘할 수 없는 시대적 환경에서도, 많은 시를 남기며 문학사에 큰 발자국을 남겼다.

허난설헌의 문학적 재능을 키운 데에는 아버지의 역할이 컸다. 허난설헌의 아버지는 딸의 재능을 일찍이 알아보고, 그녀가 학문을 닦을 수 있도록 지원했다. 그 당시 여성으로서 학문을 닦는다는 것은 결코 쉬운 일이 아니었지만, 허난설헌은 아버지의 지지와 격려 속에서 자신의 문학적 재능을 꽃피울 수 있었다. 그녀의 아버지는 허난설헌이 문학적으로 성장할 수 있도록 당시 유명한 학자 이이 선생에게 수학할 수 있는 환경을 만들어 준 중요한 인물이다.

강릉에서의 시간은 단순한 여행이 아니었다. 신사임당과 허난설헌, 이율곡의 삶을 되새기며 그들의 영향을 다시금 생각해 보는 시간이 되었다. 그들이 역사에 남긴 발자취는 단순히 개인의 업적을 넘어, 그 시대를 살아가는 모든 사람에게 큰 교훈을 준다. 신사임당과 허난설헌이 시대를 앞서간 여성으로 남긴 업적은 아버지의 지원과 격려가 있었기에 가능했다. 이 두 역사적 인물을 통해 조기교육의 중요성에 대해 다시 한번 생각해 보는 계기가 되었다.

경포대의 다섯 달, 속초에서의 마무리

경포대에 올라 바라보니, 경포호의 넓은 호수와 멀리 보이는 경포대 해수욕장의 망망함이 마음을 사로잡는다. 경포호의 잔잔한 물결이 끝없이 펼쳐져 있는 모습을 보며, 가이드가 들려주는 경포대의 다섯 달을 상상해 본다.

하늘에 떠 있는 달
경포호에 비친 달
경포 해에 비친 달
술잔에 비친 달
마주 앉은 그대 눈에 비친 달

먼저, 하늘에 떠 있는 달을 올려다본다. 푸른 하늘에 걸린 달은 마치 우리의 꿈과 이상을 상징하는 듯하다. 경포호 위에 비친 달은 현실 속 우리의 모습을 반영하는 듯하다. 이 달은 물결에 흔들리고, 우리의 삶도 이처럼 변화무쌍함을 깨닫게 해준다.

경포 해에 비친 달은 또 다른 아름다움을 보여준다. 바다 위에 비친 달빛은 끝없이 펼쳐진 세상의 무한함과 우리의 삶의 깊이를 상징하는 듯하다. 경포호의 넓은 호수를 바라보며, 이 모든 달이 함께 어우러져 하나의 아름다운 풍경을 만들어 낸다는 것을 상상해 봤다.

술잔에 비친 달은 일상의 소소한 즐거움을 나타낸다. 여행 중에 마주한 작은 행복들이 우리의 삶을 더욱 풍요롭게 만든다. 경포대에서의 순간도 그러한 작은 행복 중 하나였다.

마지막으로, 마주 앉은 그대의 눈에 비친 달을 본다. 사랑하는 사람과 함께하는 시간은 그 무엇보다 소중하다. 그대의 눈 속에 비친 달은 사랑과 관계의 소중함을 상기시켜 준다.

경포대에서의 짧은 시간은 단순한 자연 관찰을 넘어, 삶의 다양한 측면을 되돌아보게 하는 깊은 철학적 사색의 시간이었다. 경포호의 넓음과 그 위에 비친 다섯 개의 달은 우리의 삶이 얼마나 풍요롭고 다채로운지를 상기시켜 준다. 이 다섯 달은 각기 다른 모습으로 우리의 마음을 비추고 있다.

속초 롯데호텔에서 여행의 마지막 밤을 보냈다. 이번 여행에서 얻은 많은 경험과 배움은 나에게 큰 자산이 되었다. 여행을 통해 우리는 일상에서 벗어나 새로운 시각으로 세상을 볼 수 있다. 인문학은 우리 여행을 더욱 의미 있게 만들어 준다.

푸르름을 더해가는 창밖의 풍경을 바라보며 지금 글을 쓰는 이 순간, 나는 지난 여행의 순간들을 하나하나 소중하게 떠올려 본다. 여행 중에 만난 사람들의 따뜻한 미소와 친절은 나에게 큰 감동을 주었다. 그들의 이야기는 내 생각을 더욱 깊게 만들어 주었고, 새로운 시각을 제공해 주었다. 앞으로도 나는 이런 소중한 경험들을 바탕으로 더욱 풍요로운 인문학적 탐구를 이어가고 싶다. 여행은 끝이 없으며, 언제나 새로운 배움과 성장을 안겨준다.

"인생은 여행이며, 여행은 삶을 더욱 풍요롭게 한다."
- 오스카 와일드

전병식

jbs2813@hanmail.net

경인교육대학교교육대학원 초등학교상담 석사
국가공인 브레인트레이너
뇌교육사, 뇌체조지도사, 독서심리상담사,
학교상담사, 출판지도사, 캘리그라퍼,
병원원무행정사
한국출판지도사협회 부회장
40년 교육전문가(교육장,교육국장 등 교육행정 9년
교장 등 교육현장 32년)
학부모, 학생, 교원,
교육전문직 대상 강의 200회 이상

010

인문학 속의 뇌과학

스트레스만큼 강한 독성 물질도 없으나,
감사만큼 강력한 해독제도 없습니다.
살아있는 모든 날 감사하며 사십시오
- 한스 설리에 -

인문학과 뇌과학의 만남

"사춘기 아들 대하기가 너무 힘듭니다. 예전의 관계로 돌아갈 수 있을까요?"

"이제라도 다 큰 아이 안아주면 달라질 수 있을까요?"

"유아 시기에 뇌 발달이 80~90% 완성되는 게 사실인가요? 부모가 어떻게 해야 하나요?"

"뇌 발달에 좋은 음식과 학습의 집중도를 높이는 방법은 무엇인가요?"

유아, 초등, 청소년을 자녀로 둔 학부모 강의 후 공통으로 듣는 질문이다. 자녀의 발달 시기에 따른 뇌 성장에 관해 처음 듣는 부모는 차시 수를 늘려달라 후속 강의도 요청한다. 치매를 남의 일로만 알았던 대다수 부모가 평소의 생활 습관과 교육방식에 후회를 많이 한다.

'생의 마지막까지 건강한 뇌로 품격을 지니고 싶은 나의 바람은 즉흥적인 생각이 아니다. 예상하지 못한 병의 치료 과정에서 얻은 깨달음이다. 새로운 자아의 만남은 고마운 일이다. 뇌 공부를 시작한 지 수년, 지금도 여전히 어렵고 건조하다. 나는 뇌 발달의 적기성, 즉 시기를 놓치면 회복하기 어려운 것들의 중요함과 예방에 대해 쉬운 언어로 부모에게 전한다.

서로 이질적인 인문학과 뇌과학의 협력은 꽤 흥미롭다. 인문학은 인간의 감정, 문화, 예술 등을 다루고, 뇌과학은 우리의 뇌 구조와 기능을 연구하며 생각, 감정, 행동을 이해하게 한다. 뇌과학이 인문학을 보완하고 인문학이 뇌과학에 영감을 주는 두 분야의 만남으로 인간 본성에 대한 새로운 시각과 통찰을 얻게 된다.

문학은 자녀의 뇌를 다양한 방식으로 자극하여 창의력과 공감 능력을 키운다. 책을 읽을 때 뇌는 감정, 기억, 상상력을 통해 이야기를 시각화하고 캐릭터의 심미적 복잡성과 다양한 경험에 공감한다. 자녀와 함께 하는 독서로 다양한 감정과 이야기를 나누는 것도 좋다.

철학에서의 뇌과학은 비판적 사고와 자아의 이해에 도움을 준다. 철학은 자아, 의식, 자유의지와 같은 심오한 질문을 던지며 비판적 사고를 자극한다. 뇌과학은 이러한 철학적 문제를 뇌의 작용과 연결하여 자신을 잘 이해하도록 돕는다.

그림, 음악, 춤과 같은 예술 감상은 뇌의 시각, 청각, 정서 센터를 활성화하여 창의성을 증진한다. 평면의 캔버스에서 따스함을 느끼거나 전문 음악가와 일반인 뇌의 비교도 의미 있다. 음악가의 뇌와 일반인의 뇌는 청각 정보처리 방식에서 차이가 있으며 이는 절대음감 능력에서 명확해진다. 자녀와 함께 미술관이나 음악회를 자주 가보자. 인문학과 뇌과학의 만남은 우리의 마음과 행동을 더 깊이 이해하도록 도우며 지혜를 풍성하게 한다.

생성형 AI의 발전이 가속됨에 따라 인공지능을 활용한 창작물이 쏟아지고 있다. 인공지능을 효과적으로 활용하여 새로운 일자리를 창출하는 시대이다. AI 시장은 이제 보통 사람들의 놀이터이며 미래를 한발 앞서가는 이들의 개성 있는 브랜딩과 차별화된 교육에 애용되고 있다. 인공지능은 인간의 뇌 신경망을 활용한 것으로 자연 지능인 '뇌'를 알아야 인공지능을 보다 잘 활용할 수 있다.

당신에게 '뇌'는 어떤 의미로 다가오는가? 뇌과학의 발달은 숨 쉬고, 말하고, 생각하고, 행하는 모든 것이 뇌라는 것을 밝혀냈다. 'I am the Brain, The Brain is me.' 나는 뇌이고, 뇌는 나이다. 우리의 과거(기억)와 현재(행동), 미래(상상)의 생애 전체가 뇌 안에 있다.

'지금 행복한가?' 행복하지 않다면 그 이유 대부분이 관계에서 온다. 관계는 마음의 문제로 뇌의 인식 문제이다. 추측과 짐작으로 상대방을 단정하고, 불편한 관계의 원인을 늘 자신에게서 찾는 이들은 스트레스, 긴장, 불안, 공포, 우울 등 다양한 정서적 어려움을 겪고 있다. 뇌를 알면 관계가 보이고 관계가 원활하면 행복할 수 있다.

나는 뇌 교육자로 '국가 공인 브레인트레이너'이다. 다양한 형태의 어려움을 겪는 내담자의 마음 근력을 키우도록 돕는다. 태아부터 영유아기, 아동, 청소년, 성인과 노인까지 뇌의 발달과 관리의 중요성, 행복한 삶을 위한 자기 관리와 치매 예방, 인지력 향상 분야의 콘텐츠 기획과 교육이 업이다. 더불어 스트레스로 과부화가 된 뇌를 정상적인 컨디션을 유지하도록 도움을 주는 '뇌체조지도사'이기도 하다. 요즘은 학부모 대상의 '뇌 성장을 알면 쉬워지는 자녀교육'을 주제로 강의 중이다. 나이별 뇌 발달, 뇌 기능 강화의 적기성과 사춘기 자녀의 이유 있는 반항을 핵심으로 부모의 관심과 이해의 중요성을 강조한다. 뇌를 알고 나를 아는 몸과 마음의 건강 관리는 일부가 아닌 모든 계층을 대상으로 한다.

초등학교 4학년 담임선생님을 만난 후 나의 꿈은 줄곧 초등교사였다. 선생님은 내 안의 숨어있는 가능성을 지치지 않고 한발씩 끌어내셨다. 초등교사를 시작으로 교감, 교장이 되었고 연구사, 장학사, 과장, 국장, 교육장 등 교육 전문직도 두루 거쳤으니 꿈을 이루어도 크게 이룬 것이다.

40년 교육전문가로 수많은 학생, 교원, 학부모, 교육 전문직 대상의 교육을 했다. 그 과정에 전문상담교사, 독서심리상담사, 뇌 교육사, 뇌체조지도사, 글씨로 치유하는 캘리그라피 등의 자격과 국가 공인 브레인트레이너 자격증도 갖게 되었다. 자격증은 그 자격에 어울리는 사람이 되도록 끊임없이 노력해야 함을 의미한다. 소중한 인연의 결과이다.

영화로 만나는 뇌과학

어제가 없는 남자, HM의 기억

  30초 전의 일을 기억하지 못하는 남자 HM의 이야기를 하려니 문득 오래전에 보았던 로맨틱코미디 영화 '첫 키스만 50번째'가 떠오른다. 헨리는 우연히 만난 루시에게 첫눈에 반했고 작업남다운 화려한 입담으로 그녀에게 정성을 쏟았으나, 다음 날 그를 파렴치한 취급을 하며 전혀 기억하지 못한다. '단 하루만 사는' 그녀를 사랑하게 된 순정남 헨리. 그녀가 교통사고 후유증으로 단기 기억 상실증에 걸렸음을 알게 되었고, 매일 자신과의 첫 만남인 루시의 마음을 사로잡기 위해 기상천외한 작업으로 하루하루 달콤한 첫 데이트를 만들어 간다.

55년간 수천 편의 논문에서 HM으로 소개되었던 1926년생 헨리 몰레이슨은 뇌 신경과학 역사상 가장 유명한 연구 사례의 주인공이다. 어린 시절 자전거 사고로 두개골 골절상을 입은 후 심한 뇌전증(간질) 발작을 자주 일으켰고 고용량의 항경련제 투여에도 나아지지 않았다. 27세에 신경외과 의사 W.B. 스코빌에게 뇌 일부 절제 수술을 받아 발작 증상은 거의 개선되었다. 성격, 지능, 언어 및 운동 기능, 인지능력의 손상도 없었다. 그러나 심각한 부작용이 생겼다. 30초 전의 일을 기억하지 못하는 단기 기억상실증 환자가 된 것이다. 같은 잡지와 영화를 처음 대하듯 보고 또 보았다. 담당 의사와 심리학자들을 처음 보듯 만날 때마다 인사를 했다. 의사가 뇌 수술로 절개한 부위는 해마였다. HM의 사례로 '새로운 기억을 만들고 저장하며 단기기억을 장기기억으로 변환'하는 해마의 역할이 밝혀진 것이다.

때로는 천사처럼, 때로는 암살자처럼

"나한테 잘해줄 필요 없어. 나 다 까먹을 거야."
"걱정 마. 내가 대신 다 기억해 줄게"

철수(정우성)와 수진(손예진)의 절절한 명대사, 많은 이들을 울렸던 영화 '내 머리 속의 지우개'이다. 유달리 건망증이 심한 수진은 우여곡절 끝에 철수와 결혼한다. 도시락은 밥만 2개 싸주고 매일 가는 집조차 찾지 못하고 헤매는 아내 수진의 건망증은 점점 심각해진다.

혹시나 하는 마음에 찾은 병원에서 수진은 알츠하이머 진단을 받고 자신의 뇌가 점점 죽어가고 있다는 사실을 알게 된다. 결국 기억이 사라진 수진은 철수를 난생처음 보는 사람처럼 대한다.

우리는 영화 속의 주인공이 되어 웃고, 울고, 분노하기도 한다. 우리의 희로애락이 주인공을 통해 투영되며 때로는 자신의 생각과 감정이 영화를 통해 명확해진다. 영화 속 OST는 우리의 정서에 깊은 영향을 미친다. 뇌는 음악을 청각 정보로 받아들여 처리하며 이를 통해 정서적 반응을 도출한다. 기쁜 음악을 들으면 뇌에서 도파민이 분비되어 행복감을 느끼며, 슬픈 음악은 세로토닌 수치를 낮추어 슬픔을 유발한다. 주인공과 함께 웃고, 우는 이유이다.

우리의 뇌를 구성하는 세포에는 뉴런(신경세포), 성상세포, 회돌기세포, 미세아교세포의 네가지가 있다. 뇌세포 중 가장 큰 것이 뉴런이고 나머지 세포들은 뉴런보다 크기는 작으나 분포상큰 범위를 차지한다. 이 세포들은 뉴런에 비해 크기가 작아 작은 세포(교세포)라고 부른다.

뇌의 청소부라 불리는 미세아교세포(Microglia)는 뇌세포를 재건하고 방어 능력을 발휘한다. 뇌의 가지치기를 담당하며 우리의 뇌가 건강하게 발달하도록 쓸모없는 시냅스를 잡아먹는다. 그런데 이런 수호천사가 면역세포를 죽이는 암살자로 변한다. 지속된 스트레스와 바이러스, 유해 화학 성분, 알레르기 유발 물질 등에 노출되면 뉴런을 망가뜨리고 뉴런 간의 정보를 주고받는 정상적인 시냅스를 마구 쳐낸다.

이로인해 뇌는 염증 상태로 언어능력, 행동, 사고, 인지능력이 크게 떨어지고 알츠하이머, 우울증, 발달장애, 인지장애, 불안증 등의 질환이 발생한다. 아주 작은 미세아교세포의 반란이다. 만성적 스트레스가 쌓이지 않도록 몸과 마음을 잘 관리하여 질병을 예방하는 습관이 필요하다.

역사로 만나는 뇌과학

신망 두터웠던 '피니어스 게이지'에게 어떤 일이?

피니어스 게이지(Phineas Gage, 1823~1860)는 뇌와 감정의 관계에 대한 일화의 주인공이다. 1848년 미국 버몬트주의 한 철도 공사 노동자였던 25살의 게이지는 큰 폭발 사고를 당했다. 그 충격으로 쇠막대가 게이지의 왼쪽 뺨에서 오른쪽 머리 윗부분으로 관통했고 두개골과 왼쪽 대뇌 부분이 손상되는 심각한 상처를 입었다. 의사 존마틴 할로우(Dr. John Martyn Harlow)에게 치료를 받아 죽을 고비는 넘겼으나 그의 머리에는 9cm 넘는 지름의 구멍이 생겼다.

의사 할로우가 발견한 흥미로운 점은 사고 전후로 게이지의 성격과 행동의 변화였다. 성실하고 대인관계 좋으며 유쾌한 사람으로 신망이 두터웠던 그는 사고 후 크게 달라졌다. 충동적이고 화를 잘 내며 폭언과 함께 난폭해졌다. 쇠막대가 지난 자리는 전두엽이었다. 뇌과학자들은 대뇌 전두피질이 손상되거나 활성화 되지 못할 때 감정조절 상실, 정서적 애착의 곤란 등의 문제행동을 발견하였다. 전두엽 손상이 성격과 행동에 주는 영향을 제시한 최초의 사건이다.

스트레스의 해독제 "Appreciation!"

우리 몸은 인체 내부 환경을 정상적인 상황으로 유지하려는 '항상성'을 가지고 있다. 그러나 이러한 항상성을 깨뜨려 질병을 유발하는 방해 요인이 '스트레스'이다. 1958년 스트레스에 관한 연구로 노벨상을 받은 캐나다 내분비학자 한스 셀리에(Hans Selye 1907~1982)는 실험용 쥐를 대상으로 다양한 환경과 조건으로 괴로움을 주는 실험을 하였다. 그 과정에서 공통적인 신체 반응으로 쥐들의 부신이 커졌다. 스트레스를 받으면 이에 대응을 위해 '코르티솔'이라는 스트레스 호르몬이 분비되는데 코르티솔을 분비하는 곳이 부신이다.

스트레스 반응은 경보-저항-소진의 3단계로 진행된다. 경보단계는 스트레스 노출 2일 안에 면역기관의 수축과 소화 기능의 손상되는 단계이다. 저항단계는 스트레스 노출 2일 이상으로 부신의 확장과 성장의 멈춤 및 생식선이 작아지는 등 몸이 극복하기 위해 노력하는 단계이다. 스트레스가 한 달 이상이면 몸에 직접적인 손상이 나타나는 소진 단계가 된다. 이 단계가 되면 실제로 병이 난다. 여러 곳의 점막이 헐어 궤양이 나타나고 심혈관계, 소화기계 병이 생기고 정서적으로 우울증이 나타난다. 소위 '번 아웃 신드롬 (탈진증후군)'과 연관이 된다.

한스 셀리에는 스트레스 현상, 즉 '모든 괴로운 기억이 정신과 마음을 병적으로 만들어 육체와 인생을 망가뜨린다'라는 이론으로 인체 생리학과 심리학의 연결에 큰 공헌을 했다. 그가 하버드 대학에서 은퇴 특강이 있던 날 강의를 마친 그를 향해 관중들의 기립박수가 쏟아졌다. 그때 한 학생이 질문을 했다. "선생님, 우리는 스트레스 홍수 시대를 살고 있는데 스트레스의 해소 방법은 무엇입니까?" 한스 셀리에의 답은 단 한마디, "Appreciation!". '감사'였다. 즉 감사하며 살라는 뜻이다. 그가 말한 스트레스의 해독제는 모든 것을 감사히 여기는 마음이다. 스트레스를 유발하는 기억과 사건 자체보다 그에 대한 자신의 '해석'이 중요하다.

현대 사회는 예전에 비해 많은 일을 하며 평균수명은 더 늘어났다. 단순히 오래 사는 것만이 아닌 건강한 삶에 대한 관심도 많다. 건강은 육체적, 정신적, 사회적 건강이 모두 안녕한 상태가 되어야 완전한 건강이라 할 수 있다. 스트레스에 장기적으로 노출되지 않도록 꾸준하고 긍정적인 마음 관리가 필요하다. 스트레스로 인한 질병에 이르지 않도록 가족이, 주변이, 온 사회가 함께 나누고 도와야 한다.

나는 아픔의 예방과 치유를 위해 '진지하며 흥미로운 뇌 이야기'로 의미와 울림을 주는 강사이다. '더 많이 웃고, 더 많이 사랑하고, 더 많이 감사하자' 오늘도 다짐한다.

강의 커리큘럼의 예시는 다음과 같다.

[교육]
-영화로 만나는 뇌 이야기
-뇌과학으로 이해하는 인문학
-뇌를 알면 쉬워지는 자녀 교육
-뇌 영역별 학습유형과 자녀 교육
-똑똑한 뇌_인간 뇌의 특별함과 가소성
-인공지능, 새로 형성된 질서에서의 자녀 교육
-뇌 성장에 따른 자녀 이해와 부모의 역할
-인공지능(AI), 새로 형성된 질서에서의 자녀 교육

[자기 관리와 스트레스 해소]

-뇌를 알면 관계가 보인다

-초연결 사회, 인연과 관계의 사회적 시냅스

-건강한 뇌, 행복한 2막

-완전한 건강 Tip_두뇌 훈련

-뇌 기반 감정 코칭, 두뇌 트레이닝

-행복한 일상, 건강 트랜드와 뇌 관리

-궁금한 뇌 이야기, 건강한 내 이야기

-멘탈 헬스_기초두뇌 훈련법과 신체운동

-슬기로운 노년 생활_뇌 건강과 치매 예방

-퍼스널 브랜딩_출판지도사 바로가기

-논스톱_쓰기에서 출판까지

황경하

hkh25@naver.com

5분에 책1권 읽기 송파집중력 향상센터 대표
한국출판지도사 협회 부회장
한국지식문화원 대표강사
교육경력 20년
KCN 취재부장
베스트셀러 작가
〈혼자 하는 여행 함께하는 여행〉외 8권
〈혼자 하는 여행 함께 하는 여행〉 편집
여행작가, 여행인문학 강사

011

인생 2막을 위한 여행 인문학 강사
지금 시작해도 늦지 않다

여행은 다른 문화, 다른 사람을 만나고
결국에는 자기 자신을 만나는 것이다
-한비야-

나는 여행하고 글 쓰는 여행작가,
여행 인문학 강사, 책쓰기 코치다

누구나 독서의 중요성을 잘 알고 있다. 하지만, 일상생활에서 바쁘다는 이유로 우선순위에서 밀리고 있다. 지금 읽는 책이 나의 미래다. 생각하는 힘을 키워주는 독서, 독서는 즐겁고 재미있게 읽어야 진짜 독서가 된다. 읽기만 하는 독서 시대가 아니다. 책을 읽고 내 인생에 적용해야 한다. 책을 읽고 어떻게 내 인생에 적용할 수 있을까? 한때는 독서만이 살길이라고 생각해서 책을 읽기 시작했고, 속독을 배우며 책을 읽고 속독을 가르치는 대표다.

이제는 책 읽기를 넘어 책을 쓰는 작가가 됐다. 책 읽기 인풋을 했다면 반드시 아웃풋이 필요하다. 책을 읽고 아웃풋 하는 일은 내가 직접 책을 쓰는 일이다. 처음에는 내가 어떻게 책을 쓸 수 있을까 하는 생각을 했다. 자신의 지식과 경험이 들어가면 책이 된다.

책을 읽고 쓰면서 출판지도사 과정 자격증을 취득했다. 출판지도사 자격은 다른 사람에게 책쓰기 모든 과정을 가르치고, 책으로 출판까지 나오도록 돕고 지도하는 자격증이다. 민간자격증은 많이 있지만 제대로 활용해서 사용하는 자격증은 많이 없다. 출판지도사 자격증은 바로 수익화로 연결할 수 있다.

출판지도사 자격증을 가지고 여러 관공서나 도서관, 여러 센터에서 책쓰기를 강의하고 바로 책으로 출판까지 해서 바로 결과물을 낼 수 있다. 관공서나 여러 센터에서는 확실하게 결과물이 있는 것을 좋아한다.

책을 읽고 여행하는 게 좋다. 기회가 와서 여행책을 쓰게 되었다. 여행책은 어렵지 않고 즐겁게 쓸 수 있다. 공저 〈여행 한 스푼, 행복 한 그릇〉, 〈혼자 하는 여행, 함께하는 여행〉을 집필했다. 〈세상을 바꾸는 우리 1인 지식기업 시대 당신도 주인공이 될 수 있다〉, 〈돈이 되는 퍼스널 브랜딩 이제는 우리가 주인공〉, 〈출판지도사 세상을 바꾸는 작지만 위대한 움직임〉, 〈인문학 강의〉 6권을 집필한 베스트셀러 작가다.

다행히 여행책은 베스트셀러에 올랐다. 책을 쓰기 전에는 여행을 가면 사진을 찍었는데, 여행책을 쓰기 시작하면서 세밀하게 관찰하고 기록하는 습관이 생겼다. 나중에 좋은 여행지를 소개하고 싶은 마음이 들기 때문이다. 우리나라에도 곳곳에 숨은 명소가 많다. SNS에서 찾으면 나오지만, 책으로 출간되기 위해서는 어느 정도 틀을 갖추어야 글이 책으로 출간될 수 있다.

여행은 누구나 좋아한다. 단순하게 여행만 하는 것이 아니라 여행하며 어디서든 인문학을 만날 수 있다. 인문학이라 인간과 인간의 삶을 연구하는 학문이다. 인문학은 문학, 역사, 철학, 종교, 예술, 언어학 등 다양한 분야를 포함한다. 인문학은 인간의 본질, 삶의 의미, 가치관 윤리 등을 탐구한다. 인문학적 깨달음은 인문학을 통해 얻는 통찰력이다. 인문학적 깨달음을 인간의 삶을 더 풍요롭고 의미 있게 만들어 준다.

여행하면 문학, 역사, 철학, 종교, 언어를 만나게 된다. 문학 속의 인물을 통해 인간의 다양한 감정과 경험을 이해할 수 있다. 역사를 만나게 되면, 역사를 통해 인간의 삶의 변화를 이해할 수 있다. 철학을 통해 인간의 존재와 삶의 의미에 대해 생각할 수 있다. 종교를 통해 인간의 내면을 성찰할 수 있다. 예술을 통해 인간의 창의성과 아름다움을 감상할 수 있다. 언어학을 통해 인간의 문화를 이해할 수 있다.

여행은 단순한 여가 활동을 넘어 우리의 심신을 치유하고, 일상에 긍정적인 변화를 불러오는 강력한 도구다. 여행 인문학 강의를 통해 여행의 치유적 효과와 그로 인한 생활의 변화를 탐구하는 것은 재미있는 일이다. 여행이 어떻게 치유와 변화를 가져올 수 있는지. 그리고 이러한 경험이 인문학적 관점에서 어떻게 해석될 수 있는지를 재미있고 흥미롭게 전달하는 것을 목표로 강의한다.

강의는 재미있어야 한다. 강사와 함께 고민하고 소통하는 강의다. 책을 읽고 질문하고 토론하고 좋다. 하지만, 이제는 읽고 연결하고 여행하며 인문학과 연결하고 또 연결하여 가치를 만들어 내는 여행 인문학에 관한 강의다. '무조건 여행하라' 하는 강의가 아니다. 뇌 과학에 근거한 고급스러운 강의와 경험에서 나오는 재미있는 에피소드와 함께한다.

인생 2막, 여행과 함께하는 재미있는 인문학

인생 2막을 위한 준비가 필요하다. 이제는 은퇴 후에도 일해야 하는 시대가 됐다. 인생 100세라고 하는데 은퇴 후 살아온 시간만큼 더 살아야 하는 시대다. 직장인이 퇴직하게 되면 사회에 적응하기 어렵다고 한다. 직장에서 생활하던 직급은 사회에 나오는 순간 없어지게 된다.

퇴직하기 전에 앞으로 내가 무엇을 하며 즐겁게 살 것인지 고민하고 미리 준비해야 한다. 당신이 인생 2막에 무슨 일을 할 것인가에 대한 선택이 필요하다. 그동안 가족을 위해 일하고 경제 활동을 했다면, 이제부터는 나를 위한 시간, 내가 즐겁고 재미있고 오랫동안 할 수 있는 일을 찾아야 한다.

새로운 자격증을 따서 새로운 인생을 준비하는 일도 보람 있다. 자격증을 취득할 때는 이 자격증으로 내가 수익화를 할 수 있는지 자세히 검토 후 자격증 취득을 권하고 싶다. 책을 읽고 여행하며 여행책을 쓰면서 인생 2막을 준비하는 것도 보람 있고 재미있다. 여행작가도 글을 쓰는 일이 이기 때문에 책을 읽고 엉덩이 붙이고 글을 써야 한다. 자연스럽게 엉덩이 붙이고 앉아서 글 쓰는 연습을 하게 된다.

예비 작가들은 책을 쓰면서 자신을 찾아가는 시간을 갖는다. 글을 쓰면서 잊었던 자기 내면을 찾게 된다. 가끔은 글을 쓰면서 '내가 왜 이런 일을 선택했을까?' 하는 생각이 들 때도 있고, '괜히 시작했어' 라는 생각이 들 때도 있다. 하지만, 인생 2막에 여행작가에 도전해 볼 만한 가치가 있다.

인생 2막에 새롭게 창업한다는 것은 어려운 일이다. 창업하게 되면 창업비용이 많이 들어가고, 창업을 해도 한 달에 들어가는 생각하지도 못한 고정 비용이 들어간다. 학원을 운영해서 창업 비용에 대해서 잘 알고 있다.

직접 매장을 열고 창업하기 어려운데 지식창업은 크게 창업 자본금이 들어가지 않는다. 내가 필요한 부분을 배워서 써먹으면 된다. 하지만 창업하게 되면 창업비용과 배워야 하는 부분까지 자본금이 많이 들어간다. 큰 비용을 지불하고 바로 수익화가 따라주면 그것도 좋다. 하지만 현실은 그렇지 않다.

여행을 좋아하는 사람이라면 한비야, 손미나 이름을 들어봤다. 예전에 한비야의 〈지도 밖으로 행군하라〉라는 책을 읽었다. 제목이 기억에 오래도록 남았다. 한비야의 따뜻함과 적극적인 삶의 태도가 자신의 가슴을 뛰게 하고, 피를 끓게 만드는 일을 하는 게 얼마나 마음 따뜻한 일인지 온몸으로 보여주었다.

여행을 통해 자아를 발견하고 자기 성찰의 기회를 얻게 된다. 다양한 문화와 역사에 대한 깊이 있게 이해하고 여행을 통해 창의적이고 비판적인 사고를 키우게 된다.

여행작가가 되어 책이 나오면 많은 기회가 생긴다. 여행 인문학 강의도 할 수 있다. 물론 공부가 필요하다. 여행 인문학 관점에서 어떻게 강의할 수 있을까? 공부하게 됐다.

여행의 치유적 효과는 널리 알려져 있다.

첫째, 심리적 치유: 여행이 스트레스, 해소 불안 감소, 우울증 예방에 미치는 긍정적인 영향에 해서 이야기할 수 있다. 자연 속에서의 휴식, 새로운 환경의 변화가 주는 심리적 안정감을 찾을 수 있다.
둘째, 신체적 치유: 신체 활동을 동반한 여행(트레킹, 수영 등)이 건강에 주는 이로움과 신체적 피로를 풀어주는 여행의 치유적 측면을 탐구한다.

셋째, 사회적 치유: 새로운 사람들을 만나고, 새로운 사회적 관계를 형성함으로써 얻은 사회적 지지와 유대감의 중요성을 강조한다.

넷째, 역사적 사례: 역사 속에서 여행을 통해 치유를 경험한 인물들의 사례를 소개한다. 예를 들어 작가나 예술가들이 여행을 통해 영감을 얻고 치유한 이야기를 다룬다.

다섯째, 문학적 접근: 여행을 주제로 한 문학 작품을 통해 여행이 개인의 삶에 어떻게 치유와 변화를 가져왔는지 분석한다. 여행 관련 문학 작품을 읽고 토론하며 문학 속 여행의 의미를 분석해 볼 수 있다.

여섯째, 예술과 치유: 여행 중 접하는 다양한 예술 작품과 문학적 경험이 개인에게 주는 감동과 치유적 효과를 인문학적으로 해석한다.

여행작가는 여행하며 경험한 이야기를 글과 사진으로 표현하고 다른 사람이 안 가본 곳을 소개할 수 있다. 새로운 곳에 대한 정보를 주고 몰랐던 세계로 안내해 주는 다리 역할을 한다.

여행작가는 기록을 통해 자신의 여행을 정리하고, 정리한 내용을 다른 이들과 소통한다. 기록과 정리를 통해 여행작가는 자신의 여행이 다른 이들의 여행과 삶에 징검다리가 되기를 바라는 마음이다.

여행 인문학 강의 커리큘럼

▶ 정보의 홍수 속에서 좋은 책 가려내는 법

▶ 책은 어떻게 삶의 무기가 되는가?

▶ 사람들은 책을 읽고 어떻게 성공했을까?

▶ 부자들은 바쁜데 왜 책을 읽을까?

▶ 출판지도사 자격증 과정 바로 수익화할 수 있는 강의

▶ 퍼스널 브랜딩 하기

▶ 진로를 고민하는 청소년과 자신의 멋진 꿈에 도전하는 책쓰기 강의

▶ 여행작가는 어떻게 될 수 있을까

▶ 여행 인문학 강의

▶ 여행 공저 책쓰기 및 출판까지 결과물이 있는 강의

▶ 여행작가가 되면 수익화 과정은 어떻게 할 수 있을까?

최고의 공부, 자기 계발은 강의다

치열하게 책을 읽고 책을 쓰는 작가가 됐다. 지금까지 다양한 경험을 했다. 그 다양한 경험과 극복 과정을 토대로 지금 비슷한 경험과 극복 과정을 거치고 있는 사람들은 돕는 것에서부터 시작해야 한다.

인생 2막 여행작가, 여행 인문학 강사를 꿈꾸는 사람들을 돕는 강사로 살기로 했다. 이제는 여행작가도 자신의 이름을 걸고 강의하고, 여행에 관한 이야기를 전달하는 것이다. 삶이 여유로워지면서 여행과 여가에 대한 대중의 관심도 높아지고 있다. 단순히 지역에 대한 정보만을 나열하는 것이 아니다. 여행을 좀 더 전문적으로 소개하기 위한 방송도 많이 생겼다.

여행작가가 하는 작업의 중심은 언제나 글을 쓰고 사진을 찍는 일이지만, 여행작가의 활동 영역은 앞으로 더욱 다양해질 것이다. 다른 분야 협업을 통해 새로운 가치와 생각하지 못한 부분을 비즈니스 모델로 만들어 낼 수 있다.

여행하면 외국 여행을 많이 생각하는데, 우리나라 여행을 다녀 보니까 아직도 숨어 있는 명소가 많다. 여행을 좋아하는 이들은 새로운 것에 용기 있게 도전할 줄 아는 사람들이다.

여행하며 불편한 점도 있다. 여행작가는 다른 사람들에게 행복과 즐거움을 주고, 낯선 세상과 문화를 만나는 여행의 즐거움을 느낄 수 있다. 가장 중요한 일은 자신이 좋아하고 즐거워해야 오래 할 수 있다. 여행을 좋아하지 않는다면 모를까, 여행을 좋아하는 이에게는 여행하고 글을 쓰고, 그 글로 책을 출간해서 강의하며 살 수 있다면 이만큼 멋진 것이 없다.

사람들이 가슴속에 꿈으로만 간직하고 있다면 도전해도 좋다. 자신이 좋아하는 일하며 시간적 자유를 누릴 수 있다. 어디선가 불어오는 바람을 맞으며 자신이 좋아하는 여행하는 직업은 매력적이다.

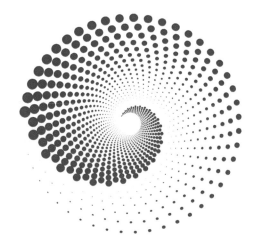